Albert Camus

Le mythe de Sisyphe

ESSAI
SUR L'ABSURDE

Gallimard

« Je fus placé à mi-distance de la misère et du soleil », écrit Albert Camus dans *L'envers et l'endroit*. Il est né dans un domaine viticole près de Mondovi, dans le département de Constantine, en Algérie. Son père a été blessé mortellement à la bataille de la Marne, en 1914. Une enfance misérable à Alger, un instituteur, M. Germain, puis un professeur, Jean Grenier, qui savent reconnaître ses dons, la tuberculose, qui se déclare précocement et qui, avec le sentiment tragique qu'il appelle l'absurde, lui donne un désir désespéré de vivre, telles sont les données qui vont forger sa personnalité. Il écrit, devient journaliste, anime des troupes théâtrales et une maison de la culture, fait de la politique. Ses campagnes à *Alger Républicain* pour dénoncer la misère des musulmans lui valent d'être obligé de quitter l'Algérie, où on ne veut plus lui donner de travail. Pendant la guerre en France, il devient un des animateurs du journal clandestin *Combat*. A la Libération, *Combat*, dont il est le rédacteur en chef, est un quotidien qui, par son ton et son exigence, fait date dans l'histoire de la presse.

Mais c'est l'écrivain qui, déjà, s'impose comme un des chefs de file de sa génération. A Alger, il avait publié *Noces* et *L'envers et l'endroit*. Rattaché à tort au mouvement existentialiste, qui atteint son apogée au lendemain de la guerre, Albert Camus écrit en fait une œuvre articulée autour de l'absurde et de la révolte. C'est peut-être Faulkner qui en a le mieux résumé le sens général : « Camus disait que le seul rôle véritable de l'homme, né dans un monde absurde, était de vivre, d'avoir conscience de sa vie, de sa révolte, de sa liberté. » Et Camus lui-même a expliqué comment il avait conçu l'ensemble de son œuvre : « Je voulais d'abord exprimer la négation. Sous trois formes. Romanesque : ce fut *L'étranger*. Dramatique : *Caligula*, *Le malentendu*. Idéologique : *Le mythe de Sisyphe*. Je prévoyais le positif sous trois formes encore. Romanesque : *La peste*. Dramatique : *L'état de siège* et *Les justes*. Idéologique : *L'homme révolté*. J'entrevoyais déjà une troisième couche autour du thème de l'amour. »

La peste, ainsi, commencé en 1941, à Oran, ville qui servira de décor au roman, symbolise le mal, un peu comme *Moby Dick* dont le mythe bouleverse Camus. Contre la peste, des hommes vont adopter diverses attitudes et montrer que l'homme n'est pas entièrement impuissant en face du sort qui lui est fait. Ce roman de la séparation, du malheur et de l'espérance, rappelant de façon symbolique aux hommes de ce temps ce qu'ils venaient de vivre, connut un immense succès.

L'homme révolté, en 1951, ne dit pas autre chose. « J'ai voulu dire la vérité sans cesser d'être généreux », écrit Camus, qui dit aussi de cet essai qui lui valut beaucoup d'inimitiés et le brouilla notamment avec les surréalistes et avec Sartre : « Le jour où le crime se pare des dépouilles de l'innocence, par un curieux renversement qui est propre à notre temps, c'est l'innocence qui est sommée de fournir ses justifications. L'ambition de cet essai serait d'accepter et d'examiner cet étrange défi. »

Cinq ans plus tard, *La chute* semble le fruit amer du temps des désillusions, de la retraite, de la solitude. *La chute* ne fait plus le procès du monde absurde où les hommes meurent et ne sont pas heureux. Cette fois, c'est la nature humaine qui est coupable. « Où commence la confession, où l'accusation ? », écrit Camus lui-même de ce récit unique dans son œuvre. « Une seule vérité en tout cas, dans ce jeu de glaces étudié : la douleur et ce qu'elle promet. »

Un an plus tard, en 1957, le prix Nobel est décerné à Camus, pour ses livres et aussi, sans doute, pour ce combat qu'il n'a jamais cessé de mener contre tout ce qui veut écraser l'homme. On attendait un nouveau développement de son œuvre quand, le 4 janvier 1960, il a trouvé la mort dans un accident de voiture.

A Pascal Pia

Un raisonnement absurde

O mon âme, n'aspire pas à la vie immor-
telle, mais épuise le champ du possible.
            PINDARE, 3e Pythique.

Les pages qui suivent traitent d'une sensibilité absurde qu'on peut trouver éparse dans le siècle – et non d'une philosophie absurde que notre temps, à proprement parler, n'a pas connue. Il est donc d'une honnêteté élémentaire de marquer, pour commencer, ce qu'elles doivent à certains esprits contemporains. Mon intention est si peu de le cacher qu'on les verra cités et commentés tout au long de l'ouvrage.

Mais il est utile de noter, en même temps, que l'absurde, pris jusqu'ici comme conclusion, est considéré dans cet essai comme un point de départ. En ce sens, on peut dire qu'il y a du provisoire dans mon commentaire : on ne saurait préjuger de la position qu'il engage. On trouvera seulement ici la description, à l'état pur, d'un mal de l'esprit. Aucune métaphysique, aucune croyance n'y sont mêlées pour le moment. Ce sont les limites et le seul parti pris de ce livre.

L'ABSURDE ET LE SUICIDE

Il n'y a qu'un problème philosophique vraiment sérieux : c'est le suicide. Juger que la vie vaut ou ne vaut pas la peine d'être vécue, c'est répondre à la question fondamentale de la philosophie. Le reste, si le monde a trois dimensions, si l'esprit a neuf ou douze catégories, vient ensuite. Ce sont des jeux; il faut d'abord répondre. Et s'il est vrai, comme le veut Nietzsche, qu'un philosophe, pour être estimable, doive prêcher d'exemple, on saisit l'importance de cette réponse puisqu'elle va précéder le geste définitif. Ce sont là des évidences sensibles au cœur, mais qu'il faut approfondir pour les rendre claires à l'esprit.

Si je me demande à quoi juger que telle question est plus pressante que telle autre, je réponds que c'est aux actions qu'elle engage. Je n'ai jamais vu personne mourir pour l'argument ontologique. Galilée, qui tenait une vérité scientifique d'importance, l'abjura le plus aisément du monde dès qu'elle mit sa vie en péril. Dans un certain sens, il fit bien. Cette vérité ne valait pas le bûcher. Qui de la terre ou du soleil tourne autour de l'autre, cela est profondément indifférent. Pour tout dire, c'est une question futile. En revanche, je vois que beaucoup de gens meurent parce qu'ils estiment que la vie ne vaut pas la peine d'être vécue. J'en vois d'autres qui se font paradoxalement tuer pour les idées ou les illusions qui leur donnent une raison de vivre (ce qu'on appelle une raison de vivre est en même temps une excellente raison de mourir). Je juge donc que le sens de la vie est la plus pressante des questions. Comment y répondre? Sur tous les problèmes essentiels, j'entends par là ceux qui risquent de faire mourir ou ceux qui décuplent la passion de vivre, il n'y a probablement que deux méthodes de pensée, celle de La Palisse et celle de Don Quichotte. C'est l'équilibre de l'évidence et du lyrisme qui peut seul nous permettre d'accéder en même temps à l'émotion et à la clarté. Dans un sujet à la fois si humble et si chargé de pathétique, la dialectique savante et classique doit donc céder la place, on le conçoit, à une attitude d'esprit plus modeste qui procède à la fois du bon sens et de la sympathie.

On n'a jamais traité du suicide que comme d'un phénomène social. Au contraire, il est question ici, pour commencer, du rapport entre la pensée individuelle et le suicide. Un geste comme celui-ci se prépare dans le silence du cœur au même titre qu'une grande œuvre. L'homme lui-même l'ignore. Un soir, il tire ou il plonge. D'un gérant d'immeubles qui s'était tué, on me disait un jour qu'il avait perdu sa fille depuis cinq ans, qu'il avait beaucoup changé depuis et que cette histoire « l'avait miné ». On ne peut souhaiter de mot plus exact. Commencer à penser, c'est commencer d'être miné. La société n'a pas grand-chose à voir dans ces débuts. Le ver se trouve au cœur de l'homme. C'est là qu'il faut le chercher. Ce jeu mortel qui mène de la lucidité en face de l'existence à l'évasion hors de la lumière, il faut le suivre et le comprendre.

Il y a beaucoup de causes à un suicide et d'une façon générale les plus apparentes n'ont pas été les plus efficaces. On se suicide rarement (l'hypothèse cependant n'est pas exclue) par réflexion. Ce qui déclenche la crise est presque toujours incontrôlable. Les journaux parlent souvent de « chagrins intimes » ou de « maladie incurable ». Ces explications sont valables. Mais il faudrait savoir si le jour même un ami du désespéré ne lui a pas parlé sur un ton indifférent. Celui-là est le coupable. Car cela peut suffire à précipiter toutes les rancœurs et toutes les lassitudes encore en suspension[1].

---

1. Ne manquons pas l'occasion de marquer le caractère de cet essai. Le suicide peut en effet se rattacher à des considérations beaucoup plus honorables. Exemple : les suicides politiques dits de protestation, dans la révolution chinoise.

Mais, s'il est difficile de fixer l'instant précis, la démarche subtile où l'esprit a parié pour la mort, il est plus aisé de tirer du geste lui-même les conséquences qu'il suppose. Se tuer, dans un sens, et comme au mélodrame, c'est avouer. C'est avouer qu'on est dépassé par la vie ou qu'on ne la comprend pas. N'allons pas trop loin cependant dans ces analogies et revenons aux mots courants. C'est seulement avouer que cela « ne vaut pas la peine ». Vivre, naturellement, n'est jamais facile. On continue à faire les gestes que l'existence commande, pour beaucoup de raisons dont la première est l'habitude. Mourir volontairement suppose qu'on a reconnu, même instinctivement, le caractère dérisoire de cette habitude, l'absence de toute raison profonde de vivre, le caractère insensé de cette agitation quotidienne et l'inutilité de la souffrance.

Quel est donc cet incalculable sentiment qui prive l'esprit du sommeil nécessaire à la vie ? Un monde qu'on peut expliquer même avec de mauvaises raisons est un monde familier. Mais au contraire, dans un univers soudain privé d'illusions et de lumières, l'homme se sent un étranger. Cet exil est sans recours puisqu'il est privé des souvenirs d'une patrie perdue ou de l'espoir d'une terre promise. Ce divorce entre l'homme de sa vie, l'acteur et son décor, c'est proprement le sentiment de l'absurdité. Tous les hommes sains ayant songé à leur propre suicide, on pourra reconnaître, sans plus d'ex-

plications, qu'il y a un lien direct entre ce
sentiment et l'aspiration vers le néant.

Le sujet de cet essai est précisément ce
rapport entre l'absurde et le suicide, la
mesure exacte dans laquelle le suicide est une
solution à l'absurde. On peut poser en principe que pour un homme qui ne triche pas, ce
qu'il croit vrai doit régler son action. La
croyance dans l'absurdité de l'existence doit
donc commander sa conduite. C'est une curio-
sité légitime de se demander, clairement et
sans faux pathétique, si une conclusion de cet
ordre exige que l'on quitte au plus vite une
condition incompréhensible. Je parle ici, bien
entendu, des hommes disposés à se mettre
d'accord avec eux-mêmes.

Posé en termes clairs, ce problème peut
paraître à la fois simple et insoluble. Mais on
suppose à tort que des questions simples
entraînent des réponses qui ne le sont pas
moins et que l'évidence implique l'évidence. A
priori, et en inversant les termes du problème,
de même qu'on se tue ou qu'on ne se tue pas,
il semble qu'il n'y ait que deux solutions
philosophiques, celle du oui et celle du non.
Ce serait trop beau. Mais il faut faire la part
de ceux qui, sans conclure, interrogent toujours. Ici, j'ironise à peine : il s'agit de la
majorité. Je vois également que ceux qui
répondent non agissent comme s'ils pensaient
oui. De fait, si j'accepte le critérium nietzschéen, ils pensent oui d'une façon ou de
l'autre. Au contraire, ceux qui se suicident, il

arrive souvent qu'ils étaient assurés du sens de la vie. Ces contradictions sont constantes. On peut même dire qu'elles n'ont jamais été aussi vives que sur ce point où la logique au contraire paraît si désirable. C'est un lieu commun de comparer les théories philosophiques et la conduite de ceux qui les professent. Mais il faut bien dire que parmi les penseurs qui refusèrent un sens à la vie, aucun, sauf Kirilov qui appartient à la littérature, Peregrinos qui naît de la légende[1] et Jules Lequier qui relève de l'hypothèse, n'accorda sa logique jusqu'à refuser cette vie. On cite souvent, pour en rire, Schopenhauer qui faisait l'éloge du suicide devant une table bien garnie. Il n'y a point là matière à plaisanterie. Cette façon de ne pas prendre le tragique au sérieux n'est pas si grave, mais elle finit par juger son homme.

Devant ces contradictions et ces obscurités, faut-il donc croire qu'il n'y a aucun rapport entre l'opinion qu'on peut avoir sur la vie et le geste qu'on fait pour la quitter? N'exagérons rien dans ce sens. Dans l'attachement d'un homme à sa vie, il y a quelque chose de plus fort que toutes les misères du monde. Le jugement du corps vaut bien celui de l'esprit et le corps recule devant l'anéantissement.

---

1. J'ai entendu parler d'un émule de Peregrinos, écrivain de l'après-guerre, qui après avoir terminé son premier livre se suicida pour attirer l'attention sur son œuvre. L'attention en effet fut attirée mais le livre jugé mauvais.

Nous prenons l'habitude de vivre avant d'acquérir celle de penser. Dans cette course qui nous précipite tous les jours un peu plus vers la mort, le corps garde cette avance irréparable. Enfin, l'essentiel de cette contradiction réside dans ce que j'appellerai l'esquive parce qu'elle est à la fois moins et plus que le divertissement au sens pascalien. L'esquive mortelle qui fait le troisième thème de cet essai, c'est l'espoir. Espoir d'une autre vie qu'il faut « mériter », ou tricherie de ceux qui vivent non pour la vie elle-même, mais pour quelque grande idée qui la dépasse, la sublime, lui donne un sens et la trahit.

Tout contribue ainsi à brouiller les cartes. Ce n'est pas en vain qu'on a jusqu'ici joué sur les mots et feint de croire que refuser un sens à la vie conduit forcément à déclarer qu'elle ne vaut pas la peine d'être vécue. En vérité, il n'y a aucune mesure forcée entre ces deux jugements. Il faut seulement refuser de se laisser égarer par les confusions, les divorces et les inconséquences jusqu'ici signalés. Il faut tout écarter et aller droit au vrai problème. On se tue parce que la vie ne vaut pas la peine d'être vécue, voilà une vérité sans doute – inféconde cependant parce qu'elle est truisme. Mais est-ce que cette insulte à l'existence, ce démenti où on la plonge vient de ce qu'elle n'a point de sens? Est-ce que son absurdité exige qu'on lui échappe, par l'espoir ou le suicide, voilà ce qu'il faut mettre à jour, poursuivre et illustrer en écartant tout le reste. L'absurde commande-t-il la mort, il faut donner à ce problème le pas sur les autres, en dehors de toutes les méthodes de pensée et des jeux de l'esprit désintéressé. Les nuances, les contradictions, la psychologie qu'un esprit « objectif » sait toujours introduire dans tous les problèmes, n'ont pas leur place dans cette recherche et cette passion. Il y faut seulement une pensée injuste, c'est-à-dire logique. Cela n'est pas facile. Il est toujours aisé d'être logique. Il est presque impossible d'être logique jusqu'au bout. Les hommes qui meurent de leurs propres mains suivent ainsi jusqu'à sa fin la pente de leur sentiment. La réflexion sur le suicide me donne alors l'occasion de poser le seul problème qui m'intéresse : y a-t-il une logique jusqu'à la mort? Je ne puis le savoir qu'en poursuivant sans passion désordonnée, dans la seule lumière de l'évidence, le raisonnement dont j'indique ici l'origine. C'est ce que j'appelle un raisonnement absurde. Beaucoup l'ont commencé. Je ne sais pas encore s'ils s'y sont tenus.

Lorsque Karl Jaspers, révélant l'impossibilité de constituer le monde en unité, s'écrie : « Cette limitation me conduit à moi-même, là où je ne me retire plus derrière un point de vue objectif que je ne fais que représenter, là où ni moi-même ni l'existence d'autrui ne peut plus devenir objet pour moi », il évoque après bien d'autres ces lieux déserts et sans eau où la pensée arrive à ses confins. Après bien d'autres, oui sans doute, mais combien pressés d'en sortir! A ce dernier tournant où la pensée vacille, beaucoup d'hommes sont arrivés et parmi les plus humbles. Ceux-là abdiquaient alors ce qu'ils avaient de plus cher qui était leur vie. D'autres, princes parmi l'esprit, ont abdiqué aussi, mais c'est au suicide de leur pensée, dans sa révolte la plus pure, qu'ils ont procédé. Le véritable effort est de s'y tenir au contraire, autant que cela est possible et d'examiner de près la végétation baroque de ces contrées éloignées. La ténacité et la clairvoyance sont des spectateurs privilégiés pour ce jeu inhumain où l'absurde, l'espoir et la mort échangent leurs répliques. Cette danse à la fois élémentaire et subtile, l'esprit peut alors en analyser les figures avant de les illustrer et de les revivre lui-même.

LES MURS ABSURDES

Comme les grandes œuvres, les sentiments profonds signifient toujours plus qu'ils n'ont conscience de le dire. La constance d'un mouvement ou d'une répulsion dans une âme se retrouve dans des habitudes de faire ou de penser, se poursuit dans des conséquences que l'âme elle-même ignore. Les grands sentiments promènent avec eux leur univers, splendide ou misérable. Ils éclairent de leur passion un monde exclusif où ils retrouvent leur climat. Il y a un univers de la jalousie, de l'ambition, de l'égoïsme ou de la générosité. Un univers, c'est-à-dire une métaphysique et une attitude d'esprit. Ce qui est vrai de sentiments déjà spécialisés le sera plus encore pour des émotions à leur base aussi indéterminées à la fois, aussi confuses et aussi « certaines », aussi lointaines et aussi « présentes » que celles que nous donne le beau ou que suscite l'absurde.

Le sentiment de l'absurdité au détour de n'importe quelle rue peut frapper à la face de n'importe quel homme. Tel quel, dans sa nudité désolante, dans sa lumière sans rayonnement, il est insaisissable. Mais cette difficulté même mérite réflexion. Il est probablement vrai qu'un homme nous demeure à jamais inconnu et qu'il y a toujours en lui quelque chose d'irréductible qui nous échappe. Mais *pratiquement,* je connais les hommes et je les reconnais à leur conduite, à l'ensemble de leurs actes, aux conséquences que leur passage suscite dans la vie. De même tous ces sentiments irrationnels sur lesquels l'analyse ne saurait avoir de prise, je puis *pratiquement* les définir, *pratiquement* les apprécier, à réunir la somme de leurs conséquences dans l'ordre de l'intelligence, à saisir et à noter tous leurs visages, à retracer leur univers. Il est certain qu'apparemment, pour avoir vu cent fois le même acteur, je ne l'en connaîtrai personnellement pas mieux. Pourtant si je fais la somme des héros qu'il a incarnés et si je dis que je le connais un peu plus au centième personnage recensé, on sent qu'il y aura là une part de vérité. Car ce paradoxe apparent est aussi un apologue. Il a une moralité. Elle enseigne qu'un homme se définit aussi bien par ses comédies que par ses élans sincères. Il en est ainsi, un ton plus bas, des sentiments, inaccessibles dans le cœur, mais partiellement trahis par les actes qu'ils animent et les attitudes d'esprit qu'ils supposent. On sent bien qu'ainsi je définis une méthode. Mais on sent aussi que cette méthode est d'analyse et non de connais-

sance. Car les méthodes impliquent des métaphysiques, elles trahissent à leur insu les
conclusions qu'elles prétendent parfois ne pas
encore connaître. Ainsi les dernières pages
d'un livre sont déjà dans les premières. Ce
nœud est inévitable. La méthode définie ici
confesse le sentiment que toute vraie connaissance est impossible. Seules les apparences
peuvent se dénombrer et le climat se faire
sentir.

Cet insaisissable sentiment de l'absurdité,
peut-être alors pourrons-nous l'atteindre dans
les mondes différents mais fraternels, de l'intelligence, de l'art de vivre ou de l'art tout
court. Le climat de l'absurdité est au commencement. La fin, c'est l'univers absurde et cette
attitude d'esprit qui éclaire le monde sous un
jour qui lui est propre, pour en faire resplendir le visage privilégié et implacable qu'elle
sait lui reconnaître.

Toutes les grandes actions et toutes les
grandes pensées ont un commencement dérisoire. Les grandes œuvres naissent souvent au
détour d'une rue ou dans le tambour d'un
restaurant. Ainsi de l'absurdité. Le monde
absurde plus qu'un autre tire sa noblesse de
cette naissance misérable. Dans certaines
situations répondre : « rien » à une question
sur la nature de ses pensées peut être une
feinte chez un homme. Les êtres aimés le
savent bien. Mais si cette réponse est sincère,

si elle figure ce singulier état d'âme où le vide devient éloquent, où la chaîne des gestes quotidiens est rompue, où le cœur cherche en vain le maillon qui la renoue, elle est alors comme le premier signe de l'absurdité.

Il arrive que les décors s'écroulent. Lever, tramway, quatre heures de bureau ou d'usine, repas, tramway, quatre heures de travail, repas, sommeil et lundi mardi mercredi jeudi vendredi et samedi sur le même rythme, cette route se suit aisément la plupart du temps. Un jour seulement, le « pourquoi » s'élève et tout commence dans cette lassitude teintée d'étonnement. « Commence », ceci est important. La lassitude est à la fin des actes d'une vie machinale, mais elle inaugure en même temps le mouvement de la conscience. Elle l'éveille et elle provoque la suite. La suite, c'est le retour inconscient dans la chaîne, ou c'est l'éveil définitif. Au bout de l'éveil vient, avec le temps, la conséquence : suicide ou rétablissement. En soi, la lassitude a quelque chose d'écœurant. Ici je dois conclure qu'elle est bonne. Car tout commence par la conscience et rien ne vaut que par elle. Ces remarques n'ont rien d'original. Mais elles sont évidentes : cela suffit pour un temps, à l'occasion d'une reconnaissance sommaire dans les origines de l'absurde. Le simple « souci » est à l'origine de tout.

De même et pour tous les jours d'une vie sans éclat, le temps nous porte. Mais un moment vient toujours où il faut le porter.

Nous vivons sur l'avenir : « demain », « plus tard », « quand tu auras une situation », « avec l'âge tu comprendras ». Ces inconséquences sont admirables, car enfin il s'agit de mourir. Un jour vient pourtant et l'homme constate ou dit qu'il a trente ans. Il affirme ainsi sa jeunesse. Mais du même coup, il se situe par rapport au temps. Il y prend sa place. Il reconnaît qu'il est à un certain moment d'une courbe qu'il confesse devoir parcourir. Il appartient au temps et, à cette horreur qui le saisit, il y reconnaît son pire ennemi. Demain, il souhaitait demain, quand tout lui-même aurait dû s'y refuser. Cette révolte de la chair, c'est l'absurde[1].

Un degré plus bas et voici l'étrangeté : s'apercevoir que le monde est « épais », entrevoir à quel point une pierre est étrangère, nous est irréductible, avec quelle intensité la nature, un paysage peut nous nier. Au fond de toute beauté gît quelque chose d'inhumain et ces collines, la douceur du ciel, ces dessins d'arbres, voici qu'à la minute même, ils perdent le sens illusoire dont nous les revêtions, désormais plus lointains qu'un paradis perdu. L'hostilité primitive du monde, à travers les millénaires, remonte vers nous. Pour une seconde, nous ne le comprenons plus puisque pendant des siècles nous n'avons compris en

---

1. Mais non pas au sens propre. Il ne s'agit pas d'une définition, il s'agit d'une *énumération* des sentiments qui peuvent comporter de l'absurde. L'énumération achevée, on n'a cependant pas épuisé l'absurde.

lui que les figures et les dessins que préalable-
ment nous y mettions, puisque désormais les
forces nous manquent pour user de cet arti-
fice. Le monde nous échappe puisqu'il rede-
vient lui-même. Ces décors masqués par l'habitude redeviennent ce qu'ils sont. Ils s'éloignent de nous. De même qu'il est des jours où,
sous le visage familier d'une femme, on
retrouve comme une étrangère celle qu'on
avait aimée il y a des mois ou des années,
peut-être allons-nous désirer même ce qui
nous rend soudain si seuls. Mais le temps n'est
pas encore venu. Une seule chose : cette
épaisseur et cette étrangeté du monde, c'est
l'absurde.

Les hommes aussi sécrètent de l'inhumain.
Dans certaines heures de lucidité, l'aspect
mécanique de leurs gestes, leur pantomime
privée de sens rend stupide tout ce qui les
entoure. Un homme parle au téléphone derrière une cloison vitrée; on ne l'entend pas,
mais on voit sa mimique sans portée : on se
demande pourquoi il vit. Ce malaise devant
l'inhumanité de l'homme même, cette incalculable chute devant l'image de ce que nous
sommes, cette « nausée » comme l'appelle un
auteur de nos jours, c'est aussi l'absurde. De
même l'étranger qui, à certaines secondes,
vient à notre rencontre dans une glace, le
frère familier et pourtant inquiétant que nous
retrouvons dans nos propres photographies,
c'est encore l'absurde.

J'en viens enfin à la mort et au sentiment

que nous en avons. Sur ce point tout a été dit et il est décent de se garder du pathétique. On ne s'étonnera cependant jamais assez de ce que tout le monde vive comme si personne « ne savait ». C'est qu'en réalité, il n'y a pas d'expérience de la mort. Au sens propre, n'est expérimenté que ce qui a été vécu et rendu conscient. Ici, c'est tout juste s'il est possible de parler de l'expérience de la mort des autres. C'est un succédané, une vue de l'esprit et nous n'en sommes jamais très convaincus. Cette convention mélancolique ne peut être persuasive. L'horreur vient en réalité du côté mathématique de l'événement. Si le temps nous effraie, c'est qu'il fait la démonstration, la solution vient derrière. Tous les beaux discours sur l'âme vont recevoir ici, au moins pour un temps, une preuve par neuf de leur contraire. De ce corps inerte où une gifle ne marque plus, l'âme a disparu. Ce côté élémentaire et définitif de l'aventure fait le contenu du sentiment absurde. Sous l'éclairage mortel de cette destinée, l'inutilité apparaît. Aucune morale, ni aucun effort ne sont *a priori* justifiables devant les sanglantes mathématiques qui ordonnent notre condition.

Encore une fois, tout ceci a été dit et redit. Je me borne à faire ici un classement rapide et à indiquer ces thèmes évidents. Ils courent à travers toutes les littératures et toutes les philosophies. La conversation de tous les jours s'en nourrit. Il n'est pas question de les réinventer. Mais il faut s'assurer de ces évidences pour pouvoir s'interroger ensuite sur la question primordiale. Ce qui m'intéresse, je veux encore le répéter, ce ne sont pas tant les découvertes absurdes. Ce sont leurs conséquences. Si l'on est assuré de ces faits, que faut-il conclure, jusqu'où aller pour ne rien étudier? Faudra-t-il mourir volontairement, ou espérer malgré tout? Il est nécessaire auparavant d'opérer le même recensement rapide sur le plan de l'intelligence.

La première démarche de l'esprit est de distinguer ce qui est vrai de ce qui est faux. Pourtant dès que la pensée réfléchit sur elle-même, ce qu'elle découvre d'abord, c'est une contradiction. Inutile de s'efforcer ici d'être convaincant. Depuis des siècles personne n'a donné de l'affaire une démonstration plus claire et plus élégante que ne le fit Aristote : « La conséquence souvent ridiculisée de ces opinions est qu'elles se détruisent elles-mêmes. Car en affirmant que tout est vrai, nous affirmons la vérité de l'affirmation opposée et par conséquent la fausseté de notre propre thèse (car l'affirmation opposée n'admet pas qu'elle puisse être vraie). Et si l'on dit que tout est faux, cette affirmation se trouve fausse, elle aussi. Si l'on déclare que seule est fausse l'affirmation opposée à la nôtre ou bien que seule la nôtre n'est pas fausse, on se voit néanmoins obligé d'admettre un nombre infini de jugements vrais ou faux. Car celui qui émet une affirmation vraie prononce en même temps qu'elle est vraie, et ainsi de suite jusqu'à l'infini. »

Ce cercle vicieux n'est que le premier d'une série où l'esprit qui se penche sur lui-même se perd dans un tournoiement vertigineux. La simplicité même de ces paradoxes fait qu'ils sont irréductibles. Quels que soient les jeux de mots et les acrobaties de la logique, comprendre c'est avant tout unifier. Le désir profond de l'esprit même dans ses démarches les plus évoluées rejoint le sentiment inconscient de l'homme devant son univers : il est exigence de familiarité, appétit de clarté. Comprendre le monde pour un homme, c'est le réduire à l'humain, le marquer de son sceau. L'univers du chat n'est pas l'univers du fourmilier. Le truisme « Toute pensée est anthropomorphique » n'a pas d'autre sens. De même l'esprit qui cherche à comprendre la réalité ne peut s'estimer satisfait que s'il la réduit en termes de pensée. Si l'homme reconnaissait que l'univers lui aussi peut aimer et souffrir, il serait réconcilié. Si la pensée découvrait dans les miroirs changeants des phénomènes, des relations éternelles qui les puissent résumer et se résumer elles-mêmes en un principe unique, on pourrait parler d'un bonheur de l'esprit dont le mythe des bienheureux ne serait qu'une ridicule contrefaçon. Cette nostalgie d'unité, cet appétit d'absolu illustre le mouvement essentiel du drame humain. Mais que cette nostalgie soit un fait n'implique pas

qu'elle doive être immédiatement apaisée. Car
si, franchissant le gouffre qui sépare le désir
de la conquête, nous affirmons avec Parménide la réalité de l'Un (quel qu'il soit), nous
tombons dans la ridicule contradiction d'un
esprit qui affirme l'unité totale et prouve par
son affirmation même sa propre différence et
la diversité qu'il prétendait résoudre. Cet
autre cercle vicieux suffit à étouffer nos
espoirs.

Ce sont là encore des évidences. Je répéte-
rai à nouveau qu'elles ne sont pas intéressan-
tes en elles-mêmes, mais dans les conséquences qu'on peut en tirer. Je connais une autre
évidence : elle me dit que l'homme est mortel.
On peut compter cependant les esprits qui
en ont tiré les conclusions extrêmes. Il faut
considérer comme une perpétuelle référence, dans cet essai, le décalage constant entre
ce que nous imaginons savoir et ce que nous
savons réellement, le consentement pratique
et l'ignorance simulée qui fait que nous vivons
avec des idées qui, si nous les éprouvions
vraiment, devraient bouleverser toute notre
vie. Devant cette contradiction inextricable de
l'esprit, nous saisirons justement à plein le
divorce qui nous sépare de nos propres créations. Tant que l'esprit se tait dans le monde
immobile de ses espoirs, tout se reflète et
s'ordonne dans l'unité de sa nostalgie. Mais à
son premier mouvement, ce monde se fêle et
s'écroule : une infinité d'éclats miroitants s'offrent à la connaissance. Il faut désespérer d'en

reconstruire jamais la surface familière et tranquille qui nous donnerait la paix du cœur. Après tant de siècles de recherches, tant d'abdications parmi les penseurs, nous savons bien que ceci est vrai pour toute notre connaissance. Exception faite pour les rationalistes de profession, on désespère aujourd'hui de la vraie connaissance. S'il fallait écrire la seule histoire significative de la pensée humaine, il faudrait faire celle de ses repentirs successifs et de ses impuissances.

De qui et de quoi en effet puis-je dire : « Je connais cela! » Ce cœur en moi, je puis l'éprouver et je juge qu'il existe. Ce monde, je puis le toucher et je juge encore qu'il existe. Là s'arrête toute ma science, le reste est construction. Car si j'essaie de saisir ce moi dont je m'assure, si j'essaie de le définir et de le résumer, il n'est plus qu'une eau qui coule entre mes doigts. Je puis dessiner un à un tous les visages qu'il sait prendre, tous ceux aussi qu'on lui a donnés, cette éducation, cette origine, cette ardeur ou ces silences, cette grandeur ou cette bassesse. Mais on n'additionne pas des visages. Ce cœur même qui est le mien me restera à jamais indéfinissable. Entre la certitude que j'ai de mon existence et le contenu que j'essaie de donner à cette assurance, le fossé ne sera jamais comblé. Pour toujours, je serai étranger à moi-même. En psychologie comme en logique, il y a des vérités mais point de vérité. Le « connais-toi toi-même » de Socrate a autant de valeur que

le « sois vertueux » de nos confessionnaux. Ils
révèlent une nostalgie en même temps qu'une
ignorance. Ce sont des jeux stériles sur de
grands sujets. Ils ne sont légitimes que dans la
mesure exacte où ils sont approximatifs.

Voici encore des arbres et je connais leur
rugueux, de l'eau et j'éprouve sa saveur. Ces
parfums d'herbe et d'étoiles, la nuit, certains
soirs où le cœur se détend, comment nierais-je
ce monde dont j'éprouve la puissance et les
forces? Pourtant toute la science de cette
terre ne me donnera rien qui puisse m'assurer
que ce monde est à moi. Vous me le décrivez
et vous m'apprenez à le classer. Vous énumé-
rez ses lois et dans ma soif de savoir je
consens qu'elles soient vraies. Vous démontez
son mécanisme et mon espoir s'accroît. Au
terme dernier, vous m'apprenez que cet univers prestigieux et bariolé se réduit à l'atome
et que l'atome lui-même se réduit à l'électron.
Tout ceci est bon et j'attends que vous conti-
nuiez. Mais vous me parlez d'un invisible
système planétaire où des électrons gravitent
autour d'un noyau. Vous m'expliquez ce
monde avec une image. Je reconnais alors que
vous en êtes venus à la poésie : je ne connaîtrai jamais. Ai-je le temps de m'en indigner?
Vous avez déjà changé de théorie. Ainsi cette
science qui devait tout m'apprendre finit dans
l'hypothèse, cette lucidité sombre dans la
métaphore, cette incertitude se résout en
œuvre d'art. Qu'avais-je besoin de tant d'efforts? Les lignes douces de ces collines et la

main du soir sur ce cœur agité m'en apprennent bien plus. Je suis revenu à mon commencement. Je comprends que si je puis par la
science saisir les phénomènes et les énumérer,
je ne puis pour autant appréhender le monde.
Quand j'aurais suivi du doigt son relief tout
entier, je n'en saurais pas plus. Et vous me
donnez à choisir entre une description qui est
certaine, mais qui ne m'apprend rien, et des
hypothèses qui prétendent m'enseigner, mais
qui ne sont point certaines. Etranger à moi-
même et à ce monde, armé pour tout secours
d'une pensée qui se nie elle-même dès qu'elle
affirme, quelle est cette condition où je ne
puis avoir la paix qu'en refusant de savoir et
de vivre, où l'appétit de conquête se heurte à
des murs qui défient ses assauts? Vouloir,
c'est susciter les paradoxes. Tout est ordonné
pour que prenne naissance cette paix empoi-
sonnée que donnent l'insouciance, le sommeil
du cœur ou les renoncements mortels.

L'intelligence aussi me dit donc à sa
manière que ce monde est absurde. Son
contraire qui est la raison aveugle a beau
prétendre que tout est clair, j'attendais des
preuves et je souhaitais qu'elle eût raison.
Mais malgré tant de siècles prétentieux et
par-dessus tant d'hommes éloquents et per-
suasifs, je sais que cela est faux. Sur ce plan du
moins, il n'y a point de bonheur si je ne puis
savoir. Cette raison universelle, pratique ou
morale, ce déterminisme, ces catégories qui
expliquent tout, ont de quoi faire rire l'homme

honnête. Ils n'ont rien à voir avec l'esprit. Ils nient sa vérité profonde qui est d'être enchaîné. Dans cet univers indéchiffrable et limité, le destin de l'homme prend désormais son sens. Un peuple d'irrationnels s'est dressé et l'entoure jusqu'à sa fin dernière. Dans sa clairvoyance revenue et maintenant concertée, le sentiment de l'absurde s'éclaire et se précise. Je disais que le monde est absurde et j'allais trop vite. Ce monde en lui-même n'est pas raisonnable, c'est tout ce qu'on en peut dire. Mais ce qui est absurde, c'est la confrontation de cet irrationnel et de ce désir éperdu de clarté dont l'appel résonne au plus profond de l'homme. L'absurde dépend autant de l'homme que du monde. Il est pour le moment leur seul lien. Il les scelle l'un à l'autre comme la haine seule peut river les êtres. C'est tout ce que je puis discerner clairement dans cet univers sans mesure où mon aventure se poursuit. Arrêtons-nous ici. Si je tiens pour vraie cette absurdité qui règle mes rapports avec la vie, si je me pénètre de ce sentiment qui me saisit devant les spectacles du monde, de cette clairvoyance que m'impose la recherche d'une science, je dois tout sacrifier à ces certitudes et je dois les regarder en face pour pouvoir les maintenir. Surtout je dois leur régler ma conduite et les poursuivre dans toutes leurs conséquences. Je parle ici d'honnêteté. Mais je veux savoir auparavant si la pensée peut vivre dans ces déserts.

Je sais déjà que la pensée est entrée du

moins dans ces déserts. Elle y a trouvé son pain. Elle y a compris qu'elle se nourrissait jusque-là de fantômes. Elle a donné prétexte à quelques-uns des thèmes les plus pressants de la réflexion humaine.

A partir du moment où elle est reconnue, l'absurdité est une passion, la plus déchirante de toutes. Mais savoir si l'on peut vivre avec ses passions, savoir si l'on peut accepter leur loi profonde qui est de brûler le cœur que dans le même temps elles exaltent, voilà toute la question. Ce n'est pas cependant celle que nous poserons encore. Elle est au centre de cette expérience. Il sera temps d'y revenir. Reconnaissons plutôt ces thèmes et ces élans nés du désert. Il suffira de les énumérer. Ceux-là aussi sont aujourd'hui connus de tous. Il y a toujours eu des hommes pour défendre les droits de l'irrationnel. La tradition de ce qu'on peut appeler la pensée humiliée n'a jamais cessé d'être vivante. La critique du rationalisme a été faite tant de fois qu'il semble qu'elle ne soit plus à faire. Pourtant notre époque voit renaître ces systèmes paradoxaux qui s'ingénient à faire trébucher la raison comme si vraiment elle avait toujours marché de l'avant. Mais cela n'est point tant une preuve de l'efficacité de la raison que de la vivacité de ses espoirs. Sur le plan de l'histoire, cette constance de deux attitudes illustre la passion essentielle de l'homme déchiré entre son appel vers l'unité et la vision claire qu'il peut avoir des murs qui l'enserrent.

Mais jamais peut-être en aucun temps comme le nôtre, l'attaque contre la raison n'a été plus vive. Depuis le grand cri de Zarathoustra : « Par hasard, c'est la plus vieille noblesse du monde. Je l'ai rendue à toutes les choses quand j'ai dit qu'au-dessus d'elle aucune volonté éternelle ne voulait », depuis la maladie mortelle de Kierkegaard, « ce mal qui aboutit à la mort sans plus rien après elle », les thèmes significatifs et torturants de la pensée absurde se sont succédé. Ou du moins, et cette nuance est capitale, ceux de la pensée irrationnelle et religieuse. De Jaspers à Heidegger, de Kierkegaard à Chestov, des phénoménologues à Scheler, sur le plan logique et sur le plan moral, toute une famille d'esprits, parents par leur nostalgie, opposés par leurs méthodes ou leurs buts, se sont acharnés à barrer la voie royale de la raison et à retrouver les droits chemins de la vérité. Je suppose ici ces pensées connues et vécues. Quelles que soient ou qu'aient été leurs ambitions, tous sont partis de cet univers indicible où règnent la contradiction, l'antinomie, l'angoisse ou l'impuissance. Et ce qui leur est commun, ce sont justement les thèmes qu'on a jusqu'ici décelés. Pour eux aussi, il faut bien dire que ce qui importe surtout, ce sont les conclusions qu'ils ont pu tirer de ces découvertes. Cela importe tant qu'il faudra les examiner à part. Mais pour le moment, il s'agit seulement de leurs découvertes et de leurs expériences initiales. Il s'agit seulement de constater leur concordance. S'il serait présomptueux de vouloir traiter de leurs philosophies, il est possible, et suffisant en tout cas, de faire sentir le climat qui leur est commun.

Heidegger considère froidement la condition humaine et annonce que cette existence est humiliée. La seule réalité, c'est le « souci » dans toute l'échelle des êtres. Pour l'homme perdu dans le monde et ses divertissements, ce souci est une peur brève et fuyante. Mais que cette peur prenne conscience d'elle-même, et elle devient l'angoisse, climat perpétuel de l'homme lucide « dans lequel l'existence se retrouve ». Ce professeur de philosophie écrit sans trembler et dans le langage le plus abstrait du monde que « le caractère fini et limité de l'existence humaine est plus primordial que l'homme lui-même ». Il s'intéresse à Kant mais c'est pour reconnaître le caractère borné de sa « Raison pure ». C'est pour conclure aux termes de ses analyses que « le monde ne peut plus rien offrir à l'homme angoissé ». Ce souci lui paraît à tel point dépasser en vérité les catégories du raisonnement, qu'il ne songe qu'à lui et ne parle que de lui. Il énumère ses visages : d'ennui lorsque l'homme banal cherche à le niveler en lui-même et à l'étourdir ; de terreur lorsque l'esprit contemple la mort. Lui non plus ne sépare pas la conscience de l'absurde. La conscience de la mort c'est l'appel du souci et « l'existence s'adresse alors un propre appel par l'intermédiaire de la conscience ». Elle est la voix même de l'angoisse et elle adjure l'existence « de revenir elle-même de sa perte dans l'On anonyme ». Pour lui non plus, il ne faut pas dormir et il faut veiller jusqu'à la consommation. Il se tient dans ce monde absurde, il en accuse le caractère périssable. Il cherche sa voie au milieu des décombres.

Jaspers désespère de toute ontologie parce qu'il veut que nous ayons perdu la « naïveté ». Il sait que nous ne pouvons arriver à rien qui transcende le jeu mortel des apparences. Il sait que la fin de l'esprit c'est l'échec. Il s'attarde le long des aventures spirituelles que nous livre l'histoire et décèle impitoyablement la faille de chaque système, l'illusion qui a tout sauvé, la prédication qui n'a rien caché. Dans ce monde dévasté où l'impossibilité de connaître est démontrée, où le néant paraît la seule réalité, le désespoir sans recours, la seule attitude, il tente de retrouver le fil d'Ariane qui mène aux divins secrets.

Chestov de son côté, tout le long d'une œuvre à l'admirable monotonie, tendu sans cesse vers les mêmes vérités, démontre sans trêve que le système le plus serré, le rationalisme le plus universel finit toujours par buter sur l'irrationnel de la pensée humaine. Aucune des évidences ironiques, des contradictions dérisoires qui déprécient la raison ne lui échappe. Une seule chose l'intéresse et c'est l'exception, qu'elle soit de l'histoire du cœur ou de l'esprit. A travers les expériences dostoïevskiennes du condamné à mort, les aventures exaspérées de l'esprit nietzschéen, les imprécations d'Hamlet ou l'amère aristocratie d'un Ibsen, il dépiste, éclaire et magnifie la révolte humaine contre l'irrémédiable. Il refuse ses raisons à la raison et ne commence à diriger ses pas avec quelque décision qu'au milieu de ce désert sans couleurs où toutes les certitudes sont devenues pierres.

De tous peut-être le plus attachant, Kierkegaard, pour une partie au moins de son existence, fait mieux que de découvrir l'absurde, il le vit. L'homme qui écrit : « Le plus sûr des mutismes n'est pas de se taire, mais de parler », s'assure pour commencer qu'aucune vérité n'est absolue et ne peut rendre satisfaisante une existence impossible en soi. Don Juan de la connaissance, il multiplie les pseudonymes et les contradictions, écrit les *Discours édifiants* en même temps que ce manuel du spiritualisme cynique qu'est *Le Journal du Séducteur*. Il refuse les consolations, la morale, les principes de tout repos. Cette épine qu'il se sent au cœur, il n'a garde d'en assoupir la douleur. Il la réveille au contraire et, dans la joie désespérée d'un crucifié content de l'être, construit pièce à pièce, lucidité, refus, comédie, une catégorie du démoniaque. Ce visage à la fois tendre et ricanant, ces pirouettes suivies d'un cri parti du fond de l'âme, c'est l'esprit absurde lui-même aux prises avec une réalité qui le dépasse. Et l'aventure spirituelle qui conduit Kierkegaard à ses chers scandales commence elle aussi dans le chaos d'une expérience privée de ses décors et rendue à son incohérence première.

Sur un tout autre plan, celui de la méthode, par leurs outrances mêmes, Husserl et les phénoménologues restituent le monde dans sa diversité et nient le pouvoir transcendant de la raison. L'univers spirituel s'enrichit avec eux de façon incalculable. Le pétale de rose, la borne kilométrique ou la main humaine ont autant d'importance que l'amour, le désir, ou les lois de la gravitation. Penser, ce n'est plus unifier, rendre familière l'apparence sous le visage d'un grand principe. Penser, c'est réapprendre à voir, à être attentif, c'est diriger sa conscience, c'est faire de chaque idée et de chaque image, à la façon de Proust, un lieu privilégié. Paradoxalement, tout est privilégié. Ce qui justifie la pensée, c'est son extrême conscience. Pour être plus positive que chez Kierkegaard ou Chestov, la démarche husserlienne, à l'origine, nie cependant la méthode classique de la raison, déçoit l'espoir, ouvre à l'intuition et au cœur toute une prolifération de phénomènes dont la richesse a quelque chose d'inhumain. Ces chemins mènent à toutes les sciences ou à aucune. C'est dire que le moyen ici a plus d'importance que la fin. Il s'agit seulement « d'une attitude pour connaître » et non d'une consolation. Encore une fois, à l'origine du moins.

Comment ne pas sentir la parenté profonde de ces esprits? Comment ne pas voir qu'ils se regroupent autour d'un lieu privilégié et amer où l'espérance n'a plus de place? Je veux que tout me soit expliqué ou rien. Et la raison est impuissante devant ce cri du cœur. L'esprit éveillé par cette exigence cherche et ne trouve que contradictions et déraisonnements. Ce que je ne comprends pas est sans raison. Le monde est peuplé de ces irrationnels. A lui seul dont je ne comprends pas la signification unique, il n'est qu'un immense irrationnel. Pouvoir dire une seule fois : « cela est clair » et tout serait sauvé. Mais ces hommes à l'envi proclament que rien n'est clair, tout est chaos, que l'homme garde seulement sa clairvoyance et la connaissance précise des murs qui l'entourent.

Toutes ces expériences concordent et se recoupent. L'esprit arrivé aux confins doit porter un jugement et choisir ses conclusions. Là se placent le suicide et la réponse. Mais je veux inverser l'ordre de la recherche et partir de l'aventure intelligente pour revenir aux gestes quotidiens. Les expériences ici évoquées sont nées dans le désert qu'il ne faut point quitter. Du moins faut-il savoir jusqu'où elles sont parvenues. A ce point de son effort, l'homme se trouve devant l'irrationnel. Il sent en lui son désir de bonheur et de raison. L'absurde naît de cette confrontation entre l'appel humain et le silence déraisonnable du monde. C'est cela qu'il ne faut pas oublier. C'est à cela qu'il faut se cramponner parce que toute la conséquence d'une vie peut en naître.

L'irrationnel, la nostalgie humaine et l'absurde qui surgit de leur tête-à-tête, voilà les trois personnages du drame qui doit nécessairement finir avec toute la logique dont une existence est capable.

LE SUICIDE PHILOSOPHIQUE

Le sentiment de l'absurde n'est pas pour autant la notion de l'absurde. Il la fonde, un point c'est tout. Il ne s'y résume pas, sinon le court instant où il porte son jugement sur l'univers. Il lui reste ensuite à aller plus loin. Il est vivant, c'est-à-dire qu'il doit mourir ou retentir plus avant. Ainsi des thèmes que nous avons réunis. Mais là encore, ce qui m'intéresse, ce ne sont point des œuvres ou des esprits dont la critique demanderait une autre forme et une autre place, mais la découverte de ce qu'il y a de commun dans leurs conclusions. Jamais esprits n'ont été si différents peut-être. Mais pourtant les paysages spirituels où ils s'ébranlent, nous les reconnaissons pour identiques. De même à travers des sciences si dissemblables, le cri qui termine leur itinéraire retentit de même façon. On sent bien qu'il y a un climat commun aux esprits que l'on vient de rappeler. Dire que ce climat est meurtrier, c'est à peine jouer sur les mots. Vivre sous ce ciel étouffant commande qu'on en sorte ou qu'on y reste. Il s'agit de savoir comment on en sort dans le premier cas et pourquoi on y reste dans le second. Je définis ainsi le problème du suicide et l'intérêt qu'on peut porter aux conclusions de la philosophie existentielle.

Je veux auparavant me détourner un instant du droit chemin. Jusqu'ici, c'est par l'extérieur que nous avons pu circonscrire l'absurde. On peut se demander cependant ce que cette notion contient de clair et tenter de retrouver par l'analyse directe sa signification d'une part et, de l'autre, les conséquences qu'elle en-traîne.

Si j'accuse un innocent d'un crime mons-trueux, si j'affirme à un homme vertueux qu'il a convoité sa propre sœur, il me répondra que c'est absurde. Cette indignation a son côté comique. Mais elle a aussi sa raison profonde. L'homme vertueux illustre par cette réplique l'antinomie définitive qui existe entre l'acte que je lui prête et les principes de toute sa vie. « C'est absurde » veut dire : « c'est impossi-ble », mais aussi : « c'est contradictoire ». Si je vois un homme attaquer à l'arme blanche un groupe de mitrailleuses, je jugerai que son acte est absurde. Mais il n'est tel qu'en vertu de la disproportion qui existe entre son inten-tion et la réalité qui l'attend, de la contradic-tion que je puis saisir entre ses forces réelles et le but qu'il se propose. De même nous estimerons qu'un verdict est absurde en l'op-posant au verdict qu'en apparence les faits commandaient. De même encore une démonstration par l'absurde s'effectue en comparant les conséquences de ce raisonnement avec la réalité logique que l'on veut instaurer. Dans tous ces cas, du plus simple au plus complexe, l'absurdité sera d'autant plus grande que l'écart croîtra entre les termes de ma comparaison. Il y a des mariages absurdes, des défis, des rancœurs, des silences, des guerres et aussi des paix. Pour chacun d'entre eux, l'absurdité naît d'une comparaison. Je suis donc fondé à dire que le sentiment de l'absurdité ne naît pas du simple examen d'un fait ou d'une impression mais qu'il jaillit de la comparaison entre un état de fait et une certaine réalité, entre une action et le monde qui la dépasse. L'absurde est essentiellement un divorce. Il n'est ni dans l'un ni dans l'autre des éléments comparés. Il naît de leur confrontation.

Sur le plan de l'intelligence, je puis donc dire que l'absurde n'est pas dans l'homme (si une pareille métaphore pouvait avoir un sens), ni dans le monde, mais dans leur présence commune. Il est pour le moment le seul lien qui les unisse. Si j'en veux rester aux évidences, je sais ce que veut l'homme, je sais ce que lui offre le monde et maintenant je puis dire que je sais encore ce qui les unit. Je n'ai pas besoin de creuser plus avant. Une seule certitude suffit à celui qui cherche. Il s'agit seulement d'en tirer toutes les conséquences.

La conséquence immédiate est en même

temps une règle de méthode. La singulière trinité qu'on met ainsi à jour n'a rien d'une Amérique soudain découverte. Mais elle a ceci de commun avec les données de l'expérience qu'elle est à la fois infiniment simple et infiniment compliquée. Le premier de ses caractères à cet égard est qu'elle ne peut se diviser. Détruire un de ses termes, c'est la détruire tout entière. Il ne peut y avoir d'absurde hors d'un esprit humain. Ainsi l'absurde finit comme toutes choses avec la mort. Mais il ne peut non plus y avoir d'absurde hors de ce monde. Et c'est à ce critérium élémentaire que je juge que la notion d'absurde est essentielle et qu'elle peut figurer la première de mes vérités. La règle de méthode évoquée plus haut apparaît ici. Si je juge qu'une chose est vraie, je dois la préserver. Si je me mêle d'apporter à un problème sa solution, il ne faut pas du moins que j'escamote par cette solution même un des termes du problème. L'unique donnée est pour moi l'absurde. Le problème est de savoir comment en sortir et si le suicide doit se déduire de cet absurde. La première et, au fond, la seule condition de mes recherches, c'est de préserver cela même qui m'écrase, de respecter en conséquence ce que je juge essentiel en lui. Je viens de le définir comme une confrontation et une lutte sans repos.

Et poussant jusqu'à son terme cette logique absurde, je dois reconnaître que cette lutte suppose l'absence totale d'espoir (qui n'a rien à voir avec le désespoir), le refus continuel (qu'on ne doit pas confondre avec le renoncement) et l'insatisfaction consciente (qu'on ne saurait assimiler à l'inquiétude juvénile). Tout ce qui détruit, escamote ou subtilise ces exigences (et en premier lieu le consentement qui détruit le divorce) ruine l'absurde et dévalorise l'attitude qu'on peut alors proposer. L'absurde n'a de sens que dans la mesure où l'on n'y consent pas.

Il existe un fait d'évidence qui semble tout à fait moral, c'est qu'un homme est toujours la proie de ses vérités. Une fois reconnues, il ne saurait s'en détacher. Il faut bien payer un peu. Un homme devenu conscient de l'absurde lui est lié pour jamais. Un homme sans espoir et conscient de l'être n'appartient plus à l'avenir. Cela est dans l'ordre. Mais il est dans l'ordre également qu'il fasse effort pour échapper à l'univers dont il est le créateur. Tout ce qui précède n'a de sens justement qu'en considération de ce paradoxe. Rien ne peut être plus instructif à cet égard que d'examiner maintenant la façon dont les hommes qui ont reconnu, à partir d'une critique du rationalisme, le climat absurde, ont poussé leurs conséquences.

Or, pour m'en tenir aux philosophies existentielles, je vois que toutes, sans exception, me proposent l'évasion. Par un raisonnement singulier, partis de l'absurde sur les décombres de la raison, dans un univers fermé et limité à l'humain, ils divinisent ce qui les écrase et trouvent une raison d'espérer dans ce qui les démunit. Cet espoir forcé est chez tous d'essence religieuse. Il mérite qu'on s'y arrête.

J'analyserai seulement ici et à titre d'exemple quelques thèmes particuliers à Chestov et à Kierkegaard. Mais Jaspers va nous fournir, poussé jusqu'à la caricature, un exemple type de cette attitude. Le reste en deviendra plus clair. On le laisse impuissant à réaliser le transcendant, incapable de sonder la profondeur de l'expérience et conscient de cet univers bouleversé par l'échec. Va-t-il progresser ou du moins tirer les conclusions de cet échec? Il n'apporte rien de nouveau. Il n'a rien trouvé dans l'expérience que l'aveu de son impuissance et aucun prétexte à inférer quelque principe satisfaisant. Pourtant, sans justification, il le dit lui-même, il affirme d'un seul jet à la fois le transcendant, l'être de l'expérience et le sens supra-humain de la vie en écrivant : « L'échec ne montre-t-il pas, au-delà de toute explication et de toute interprétation possible, non le néant mais l'être de la transcendance. » Cet être qui soudain, et par un acte aveugle de la confiance humaine, explique tout, il le définit comme « l'unité inconcevable du général et du particulier ». Ainsi l'absurde devient dieu (dans le sens le plus large de ce mot) et cette impuissance à comprendre l'être qui illumine tout. Rien n'amène

en logique ce raisonnement. Je puis l'appeler
un saut. Et, paradoxalement, on comprend
l'insistance, la patience infinie de Jaspers à
rendre irréalisable l'expérience du transcendant. Car plus fuyante est cette approxima-
tion, plus vaine s'avère cette définition et plus
ce transcendant lui est réel, car la passion
qu'il met à l'affirmer est justement proportion-
nelle à l'écart qui existe entre son pouvoir
d'explication et l'irrationalité du monde et de
l'expérience. Il apparaît ainsi que Jaspers met
d'autant plus d'acharnement à détruire les
préjugés de la raison qu'il expliquera de façon
plus radicale le monde. Cet apôtre de la
pensée humiliée va trouver à l'extrémité
même de l'humiliation de quoi régénérer
l'être dans toute sa profondeur.

La pensée mystique nous a familiarisé avec
ces procédés. Ils sont légitimes au même titre
que n'importe quelle attitude d'esprit. Mais,
pour le moment, j'agis comme si je prenais au
sérieux certain problème. Sans préjuger de la
valeur générale de cette attitude, de son pouvoir d'enseignement, je veux seulement considérer si elle répond aux conditions que je me
suis posées, si elle est digne du conflit qui
m'intéresse. Je reviens ainsi à Chestov. Un
commentateur rapporte une de ses paroles
qui mérite intérêt : « La seule vraie issue, dit-il,
est précisément là où il n'y a pas d'issue au
jugement humain. Sinon, qu'aurions-nous besoin de Dieu ? On ne se tourne vers Dieu que
pour obtenir l'impossible. Quant au possible,

les hommes y suffisent. » S'il y a une philosophie chestovienne, je puis bien dire qu'elle est
tout entière ainsi résumée. Car lorsqu'au
terme de ses analyses passionnées, Chestov
découvre l'absurdité fondamentale de toute
existence, il ne dit point : « Voici l'absurde »,
mais « Voici Dieu : c'est à lui qu'il convient de
s'en remettre, même s'il ne correspond à
aucune de nos catégories rationnelles ». Pour
que la confusion ne soit pas possible, le philosophe russe insinue même que ce Dieu est
peut-être haineux et haïssable, incompréhensible et contradictoire, mais dans la mesure
même où son visage est le plus hideux il
affirme le plus sa puissance. Sa grandeur, c'est
son inconséquence. Sa preuve, c'est son inhumanité. Il faut bondir en lui et par ce saut se
délivrer des illusions rationnelles. Ainsi pour
Chestov l'acceptation de l'absurde est contem-
poraine de l'absurde lui-même. Le constater,
c'est l'accepter et tout l'effort logique de sa
pensée est de le mettre à jour pour faire jaillir
du même coup l'espoir immense qu'il entraîne. Encore une fois, cette attitude est légitime. Mais je m'entête ici à considérer un seul
problème et toutes ses conséquences. Je n'ai
pas à examiner le pathétique d'une pensée ou
d'un acte de foi. J'ai toute ma vie pour le faire.
Je sais que le rationaliste trouve l'attitude
chestovienne irritante. Mais je sens aussi que
Chestov a raison contre le rationaliste et je
veux seulement savoir s'il reste fidèle aux
commandements de l'absurde.

Or, si l'on admet que l'absurde est le contraire de l'espoir, on voit que la pensée existentielle, pour Chestov, présuppose l'absurde, mais ne le démontre que pour le dissiper. Cette subtilité de pensée est un tour pathétique de jongleur. Quand Chestov d'autre part oppose son absurde à la morale courante et à la raison, il l'appelle vérité et rédemption. Il y a donc à la base dans cette définition de l'absurde une approbation que Chestov lui apporte. Si l'on reconnaît que tout le pouvoir de cette notion réside dans la façon dont il heurte nos espérances élémentaires, si l'on sent que l'absurde exige pour demeurer qu'on n'y consente point, on voit bien alors qu'il a perdu son vrai visage, son caractère humain et relatif pour entrer dans une éternité à la fois incompréhensible et satisfaisante. Si absurde il y a, c'est dans l'univers de l'homme. Dès l'instant où sa notion se transforme en tremplin d'éternité, elle n'est plus liée à la lucidité humaine. L'absurde n'est plus cette évidence que l'homme constate sans y consentir. La lutte est éludée. L'homme intègre l'absurde et dans cette communion fait disparaître son caractère essentiel qui est opposition, déchirement et divorce. Ce saut est une dérobade. Chestov qui cite si volontiers le mot d'Hamlet *The time is out of joint*, l'écrit ainsi avec une sorte d'espoir farouche qu'il est permis de lui attribuer tout particulièrement. Car ce n'est pas ainsi qu'Hamlet le prononce ou que Shakespeare l'écrit. La grise-

rie de l'irrationnel et la vocation de l'extase
détournent de l'absurde un esprit clairvoyant.
Pour Chestov, la raison est vaine, mais il y a
quelque chose au-delà de la raison. Pour un
esprit absurde, la raison est vaine et il n'y a
rien au-delà de la raison.

Ce saut du moins peut nous éclairer un peu
plus sur la nature véritable de l'absurde. Nous
savons qu'il ne vaut que dans un équilibre,
qu'il est avant tout dans la comparaison et
non point dans les termes de cette comparaison. Mais Chestov justement fait porter tout le
poids sur l'un des termes et détruit l'équilibre.
Notre appétit de comprendre, notre nostalgie
d'absolu ne sont explicables que dans la
mesure où justement nous pouvons comprendre et expliquer beaucoup de choses. Il est
vain de nier absolument la raison. Elle a son
ordre dans lequel elle est efficace. C'est justement celui de l'expérience humaine. C'est
pourquoi nous voulons tout rendre clair. Si
nous ne le pouvons pas, si l'absurde naît à
cette occasion, c'est justement à la rencontre
de cette raison efficace mais limitée et de
l'irrationnel toujours renaissant. Or, quand
Chestov s'irrite contre une proposition hégé-
lienne de ce genre : « les mouvements du
système solaire s'effectuent conformément à
des lois immuables et ces lois sont sa raison »,
lorsqu'il met toute sa passion à disloquer le
rationalisme spinozien, il conclut justement à
la vanité de toute raison. D'où, par un retour
naturel et illégitime, à la prééminence de

l'irrationnel[1]. Mais le passage n'est pas évident.
Car ici peuvent intervenir la notion de limite
et celle de plan. Les lois de la nature peuvent
être valables jusqu'à une certaine limite, passée laquelle elles se retournent contre elles-
mêmes pour faire naître l'absurde. Ou encore,
elles peuvent se légitimer sur le plan de la
description sans pour cela être vraies sur celui
de l'explication. Tout est sacrifié ici à l'irrationnel et l'exigence de clarté étant escamotée,
l'absurde disparaît avec un des termes de sa
comparaison. L'homme absurde au contraire
ne procède pas à ce nivellement. Il reconnaît
la lutte, ne méprise pas absolument la raison
et admet l'irrationnel. Il recouvre ainsi du
regard toutes les données de l'expérience, et il
est peu disposé à sauter avant de savoir. Il sait
seulement que dans cette conscience atten-
tive, il n'y a plus de place pour l'espoir.

Ce qui est sensible chez Léon Chestov le
sera plus encore peut-être chez Kierkegaard.
Certes, il est difficile de cerner chez un auteur
aussi fuyant des propositions claires. Mais,
malgré des écrits apparemment opposés, par-
dessus les pseudonymes, les jeux et les sourires, on sent tout au long de cet œuvre apparaître comme le pressentiment (en même
temps que l'appréhension) d'une vérité qui
finit par éclater dans les derniers ouvrages :
Kierkegaard lui aussi fait le saut. Le christia-

1. A propos de la notion d'exception notamment et
contre Aristote.

nisme dont son enfance s'effrayait tant, il
revient finalement vers son visage le plus dur.
Pour lui aussi, l'antinomie et le paradoxe
deviennent critères du religieux. Ainsi cela
même qui faisait désespérer du sens et de la
profondeur de cette vie lui donne maintenant
sa vérité et sa clarté. Le christianisme, c'est le
scandale et ce que Kierkegaard demande tout
uniment, c'est le troisième sacrifice exigé par
Ignace de Loyola, celui dont Dieu se réjouit le
plus : « le sacrifice de l'Intellect[1] ». Cet effet
du « saut » est bizarre, mais ne doit plus nous
surprendre. Il fait de l'absurde le critère de
l'autre monde alors qu'il est seulement un
résidu de l'expérience de ce monde. « Dans
son échec, dit Kierkegaard, le croyant trouve
son triomphe. »

Je n'ai pas à me demander à quelle émouvante prédication se rattache cette attitude. J'ai
seulement à me demander si le spectacle de
l'absurde et son caractère propre la légitiment. Sur ce point, je sais que cela n'est pas. A
considérer de nouveau le contenu de l'absurde, on comprend mieux la méthode qui
inspire Kierkegaard. Entre l'irrationnel du
monde et la nostalgie révoltée de l'absurde, il
ne maintient pas l'équilibre. Il n'en respecte

---

1. On peut penser que je néglige ici le problème essentiel qui est celui de la foi. Mais je n'examine pas la
philosophie de Kierkegaard, ou de Chestov ou, plus loin,
de Husserl (il y faudrait une autre place et une autre
attitude d'esprit), je leur emprunte un thème et j'examine
si ses conséquences peuvent convenir aux règles déjà
fixées. Il s'agit seulement d'entêtement.

pas le rapport qui fait à proprement parler le sentiment de l'absurdité. Certain de ne pouvoir échapper à l'irrationnel, il peut du moins se sauver de cette nostalgie désespérée qui lui paraît stérile et sans portée. Mais s'il peut avoir raison sur ce point dans son jugement, il ne saurait en être de même dans sa négation. S'il remplace son cri de révolte par une adhésion forcenée, le voilà conduit à ignorer l'absurde qui l'éclairait jusqu'ici et à diviniser la seule certitude que désormais il ait, l'irrationnel. L'important, disait l'abbé Galiani à Mme d'Epinay, n'est pas de guérir, mais de vivre avec ses maux. Kierkegaard veut guérir. Guérir, c'est son vœu forcené, celui qui court dans tout son journal. Tout l'effort de son intelligence est d'échapper à l'antinomie de la condition humaine. Effort d'autant plus désespéré qu'il en aperçoit par éclairs la vanité, par exemple quand il parle de lui, comme si ni la crainte de Dieu, ni la piété, n'étaient capables de lui donner la paix. C'est ainsi que, par un subterfuge torturé, il donne à l'irrationnel le visage, et à son Dieu les attributs de l'absurde : injuste, inconséquent et incompréhensible. L'intelligence seule en lui s'essaie à étouffer la revendication profonde du cœur humain. Puisque rien n'est prouvé, tout peut être prouvé.

C'est Kierkegaard lui-même qui nous révèle le chemin suivi. Je ne veux rien suggérer ici, mais comment ne pas lire dans ses œuvres les signes d'une mutilation presque volontaire de l'âme en face de la mutilation consentie sur l'absurde? C'est le leitmotiv du *Journal*. « Ce qui m'a fait défaut, c'est la bête qui, elle aussi, fait partie de l'humanité destinée... Mais donnez-moi donc un corps. » Et plus loin : « Oh! surtout dans ma première jeunesse, que n'eussé-je donné pour être homme, même six mois... ce qui me manque, au fond, c'est un corps et les conditions physiques de l'existence. » Ailleurs, le même homme pourtant fait sien le grand cri d'espoir qui a traversé tant de siècles et animé tant de cœurs, sauf celui de l'homme absurde. « Mais pour le chrétien, la mort n'est nullement la fin de tout et elle implique infiniment plus d'espoir que n'en comporte pour nous la vie, même débordante de santé et de force. » La réconciliation par le scandale, c'est encore de la réconciliation. Elle permet peut-être, on le voit, de tirer l'espoir de son contraire qui est la mort. Mais même si la sympathie fait pencher vers cette attitude, il faut dire cependant que la démesure ne justifie rien. Cela passe, dit-on, la mesure humaine, il faut donc que cela soit surhumain. Mais ce « donc » est de trop. Il n'y a point ici de certitude logique. Il n'y a point non plus de probabilité expérimentale. Tout ce que je puis dire, c'est qu'en effet cela passe ma mesure. Si je n'en tire pas une négation, du moins je ne veux rien fonder sur l'incompréhensible. Je veux savoir si je puis vivre avec ce que je sais et avec cela seulement. On me dit encore que l'intelligence doit ici sacrifier son orgueil et la raison s'incliner. Mais si je recon-

nais les limites de la raison, je ne la nie pas
pour autant, reconnaissant ses pouvoirs rela-
tifs. Je veux seulement me tenir dans ce chemin moyen où l'intelligence peut rester claire.
Si c'est là son orgueil, je ne vois pas de raison
suffisante pour y renoncer. Rien de plus profond, par exemple, que la vue de Kierkegaard
selon quoi le désespoir n'est pas un fait mais
un état : l'état même du péché. Car le péché
c'est ce qui éloigne de Dieu. L'absurde, qui est
l'état métaphysique de l'homme conscient, ne
mène pas à Dieu[1]. Peut-être cette notion
s'éclaircira-t-elle si je hasarde cette énormité :
l'absurde c'est le péché sans Dieu.

Cet état de l'absurde, il s'agit d'y vivre. Je
sais sur quoi il est fondé, cet esprit et ce
monde arc-boutés l'un contre l'autre sans pouvoir s'embrasser. Je demande la règle de vie
de cet état et ce qu'on me propose en néglige
le fondement, nie l'un des termes de l'opposition douloureuse, me commande une démis-
sion. Je demande ce qu'entraîne la condition
que je reconnais pour mienne, je sais qu'elle
implique l'obscurité et l'ignorance et l'on m'assure que cette ignorance explique tout et que
cette nuit est ma lumière. Mais on ne répond
pas ici à mon intention et ce lyrisme exaltant
ne peut me cacher le paradoxe. Il faut donc se
détourner. Kierkegaard peut crier, avertir :
« Si l'homme n'avait pas de conscience éter-

---

1. Je n'ai pas dit « exclut Dieu », ce qui serait encore
affirmer.

nelle, si, au fond de toutes choses, il n'y avait qu'une puissance sauvage et bouillonnante, produisant toutes choses, le grand et le futile, dans le tourbillon d'obscures passions, si le vide sans fond que rien ne peut combler se cachait sous les choses, que serait donc la vie, sinon le désespoir? » Ce cri n'a pas de quoi arrêter l'homme absurde. Chercher ce qui est vrai n'est pas chercher ce qui est souhaitable. Si pour échapper à la question angoissée : « Que serait donc la vie? » il faut comme l'âne se nourrir des roses de l'illusion, plutôt que de se résigner au mensonge, l'esprit absurde préfère adopter sans trembler la réponse de Kierkegaard : « le désespoir ». Tout bien considéré, une âme déterminée s'en arrangera toujours.

Je prends la liberté d'appeler ici suicide philosophique l'attitude existentielle. Mais ceci n'implique pas un jugement. C'est une façon commode de désigner le mouvement par quoi une pensée se nie elle-même et tend à se surpasser dans ce qui fait sa négation. Pour les existentiels, la négation c'est leur Dieu. Exactement, ce dieu ne se soutient que par la négation de la raison humaine[1]. Mais comme les suicides, les dieux changent avec

1. Précisons encore une fois : ce n'est pas l'affirmation de Dieu qui est mise en cause ici, c'est la logique qui y mène.

les hommes. Il y a plusieurs façons de sauter, l'essentiel étant de sauter. Ces négations rédemptrices, ces contradictions finales qui nient l'obstacle que l'on n'a pas encore sauté, peuvent naître aussi bien (c'est le paradoxe que vise ce raisonnement) d'une certaine inspiration religieuse que de l'ordre rationnel. Elles prétendent toujours à l'éternel, c'est en cela seulement qu'elles font le saut.

Il faut encore le dire, le raisonnement que cet essai poursuit laisse entièrement de côté l'attitude spirituelle la plus répandue dans notre siècle éclairé : celle qui s'appuie sur le principe que tout est raison et qui vise à donner une explication au monde. Il est naturel d'en donner une vue claire lorsqu'on admet qu'il doit être clair. Cela est même légitime mais n'intéresse pas le raisonnement que nous poursuivons ici. Son but en effet c'est d'éclairer la démarche de l'esprit, lorsque parti d'une philosophie de la non-signification du monde, il finit par lui trouver un sens et une profondeur. La plus pathétique de ces démarches est d'essence religieuse; elle s'illustre dans le thème de l'irrationnel. Mais la plus paradoxale et la plus significative est bien celle qui donne ses raisons raisonnantes à un monde qu'elle imaginait tout d'abord sans principe directeur. On ne saurait en tout cas venir aux conséquences qui nous intéressent sans avoir donné une idée de cette nouvelle acquisition de l'esprit de nostalgie.

J'examinerai seulement le thème de « l'Intention », mis à la mode par Husserl et les phénoménologues. Il y a été fait allusion. Primitivement, la méthode husserlienne nie la démarche classique de la raison. Répétons-nous. Penser, ce n'est pas unifier, rendre familière l'apparence sous le visage d'un grand principe. Penser, c'est réapprendre à voir, diriger sa conscience, faire de chaque image un lieu privilégié. Autrement dit, la phénoménologie se refuse à expliquer le monde, elle veut être seulement une description du vécu. Elle rejoint la pensée absurde dans son affirmation initiale qu'il n'est point de vérité, mais seulement des vérités. Depuis le vent du soir jusqu'à cette main sur mon épaule, chaque chose a sa vérité. C'est la conscience qui l'éclaire par l'attention qu'elle lui prête. La conscience ne forme pas l'objet de sa connaissance, elle fixe seulement, elle est l'acte d'attention et pour reprendre une image bergsonienne, elle ressemble à l'appareil de projection qui se fixe d'un coup sur une image. La différence, c'est qu'il n'y a pas de scénario, mais une illustration successive et inconséquente. Dans cette lanterne magique, toutes les images sont privilégiées. La conscience met en suspens dans l'expérience les objets de son attention. Par son miracle, elle les isole. Ils sont dès lors en dehors de tous les jugements. C'est cette « intention » qui caractérise la conscience. Mais le mot n'implique aucune idée de finalité ; il est pris dans son sens de « direction » : il n'a de valeur que topographique.

A première vue, il semble bien que rien ainsi ne contredit l'esprit absurde. Cette apparente modestie de la pensée qui se borne à décrire ce qu'elle se refuse à expliquer, cette discipline volontaire d'où procède paradoxalement l'enrichissement profond de l'expérience et la renaissance du monde dans sa prolixité, ce sont là des démarches absurdes. Du moins à première vue. Car les méthodes de pensée, en ce cas comme ailleurs, revêtent toujours deux aspects, l'un psychologique et l'autre métaphysique[1]. Par là elles recèlent deux vérités. Si le thème de l'intentionnalité ne prétend illustrer qu'une attitude psychologique, par laquelle le réel serait épuisé au lieu d'être expliqué, rien en effet ne le sépare de l'esprit absurde. Il vise à dénombrer ce qu'il ne peut transcender. Il affirme seulement que dans l'absence de tout principe d'unité, la pensée peut encore trouver sa joie à décrire et à comprendre chaque visage de l'expérience. La vérité dont il est question alors pour chacun de ces visages est d'ordre psychologique. Elle témoigne seulement de l' « intérêt » que peut présenter la réalité. C'est une façon d'éveiller un monde somnolent et de le rendre vivant à l'esprit. Mais si l'on veut étendre et fonder rationnellement cette notion de vérité, si l'on prétend découvrir ainsi l'« essence » de cha-

---

1. Même les épistémologies les plus rigoureuses supposent des métaphysiques. Et à ce point que la métaphysique d'une grande partie des penseurs de l'époque consiste à n'avoir qu'une épistémologie.

que objet de la connaissance, on restitue sa profondeur à l'expérience. Pour un esprit absurde, cela est incompréhensible. Or, c'est ce balancement de la modestie à l'assurance qui est sensible dans l'attitude intentionnelle et ce miroitement de la pensée phénoménologique illustrera mieux que toute autre chose le raisonnement absurde.

Car Husserl parle aussi « d'essences extra-temporelles » que l'intention met à jour et l'on croit entendre Platon. On n'explique pas toutes choses par une seule, mais par toutes. Je n'y vois pas de différence. Certes ces idées ou ces essences que la conscience « effectue » au bout de chaque description, on ne veut pas encore qu'elles soient modèles parfaits. Mais on affirme qu'elles sont directement présentes dans toute donnée de perception. Il n'y a plus une seule idée qui explique tout, mais une infinité d'essences qui donnent un sens à une infinité d'objets. Le monde s'immobilise, mais s'éclaire. Le réalisme platonicien devient intuitif, mais c'est encore du réalisme. Kierkegaard s'abîmait dans son Dieu, Parménide précipitait la pensée dans l'Un. Mais ici la pensée se jette dans un polythéisme abstrait. Il y a mieux : les hallucinations et les fictions font partie elles aussi des « essences extra-temporelles ». Dans le nouveau monde des idées, la catégorie de centaure collabore avec celle, plus modeste, de métropolitain.

Pour l'homme absurde, il y avait une vérité en même temps qu'une amertume dans cette

opinion purement psychologique que tous les
visages du monde sont privilégiés. Que tout
soit privilégié revient à dire que tout est
équivalent. Mais l'aspect métaphysique de
cette vérité le mène si loin que par une
réaction élémentaire, il se sent plus près peut-
être de Platon. On lui enseigne en effet que
toute image suppose une essence également
privilégiée. Dans ce monde idéal sans hiérarchie, l'armée formelle est composée seulement de généraux. Sans doute la transcendance avait été éliminée. Mais un tournant
brusque de la pensée réintroduit dans le
monde une sorte d'immanence fragmentaire
qui restitue sa profondeur à l'univers.

Dois-je craindre d'avoir mené trop loin un
thème manié avec plus de prudence par ses
créateurs? Je lis seulement ces affirmations
d'Husserl, d'apparence paradoxale, mais dont
on sent la logique rigoureuse, si l'on admet ce
qui précède : « Ce qui est vrai est vrai absolument, en soi; la vérité est une ; identique à
elle-même, quels que soient les êtres qui la
perçoivent, hommes, monstres, anges ou
dieux. » La Raison triomphe et claironne par
cette voix, je ne puis le nier. Que peut signifier
son affirmation dans le monde absurde? La
perception d'un ange ou d'un dieu n'a pas de
sens pour moi. Ce lieu géométrique où la
raison divine ratifie la mienne m'est pour
toujours incompréhensible. Là encore, je
décèle un saut, et pour être fait dans l'abstrait,
il ne signifie pas moins pour moi l'oubli de ce

que, justement, je ne veux pas oublier. Lorsque plus loin Husserl s'écrie : « Si toutes les
masses soumises à l'attraction disparaissaient,
la loi de l'attraction ne s'en trouverait pas
détruite, mais elle resterait simplement sans
application possible », je sais que je me
trouve en face d'une métaphysique de consolation. Et si je veux découvrir le tournant où la
pensée quitte le chemin de l'évidence, je n'ai
qu'à relire le raisonnement parallèle qu'Husserl tient à propos de l'esprit : « Si nous
pouvons contempler clairement les lois exac-
tes des processus psychiques, elles se montre-
raient également éternelles et invariables,
comme les lois fondamentales des sciences
naturelles théoriques. Donc elles seraient valables même s'il n'y avait aucun processus psy-
chique. » Même si l'esprit n'était pas, ses lois
seraient! Je comprends alors que d'une vérité
psychologique, Husserl prétend faire une
règle rationnelle : après avoir nié le pouvoir
intégrant de la raison humaine, il saute par ce
biais dans la Raison éternelle.

Le thème husserlien de l' « univers concret » ne peut alors me surprendre. Me dire
que toutes les essences ne sont pas formelles,
mais qu'il en est de matérielles, que les premières sont l'objet de la logique et les secondes des sciences, ce n'est qu'une question de
définition. L'abstrait, m'assure-t-on, ne désigne
qu'une partie non consistante par elle-même
d'un universel concret. Mais le balancement
déjà révélé me permet d'éclairer la confusion

de ces termes. Car cela peut vouloir dire que l'objet concret de mon attention, ce ciel, le reflet de cette eau sur le pan de ce manteau gardent à eux seuls ce prestige du réel que mon intérêt isole dans le monde. Et je ne le nierai pas. Mais cela peut vouloir dire aussi que ce manteau lui-même est universel, a son essence particulière et suffisante, appartient au monde des formes. Je comprends alors que l'on a changé seulement l'ordre de la procession. Ce monde n'a plus son reflet dans un univers supérieur, mais le ciel des formes se figure dans le peuple des images de cette terre. Ceci ne change rien pour moi. Ce n'est point le goût du concret, le sens de la condition humaine que je retrouve ici, mais un intellectualisme assez débridé pour généraliser le concret lui-même.

On s'étonnerait en vain du paradoxe apparent qui mène la pensée à sa propre négation par les voies opposées de la raison humiliée et de la raison triomphante. Du dieu abstrait d'Husserl au dieu fulgurant de Kierkegaard, la distance n'est pas si grande. La raison et l'irrationnel mènent à la même prédication. C'est qu'en vérité le chemin importe peu, la volonté d'arriver suffit à tout. Le philosophe abstrait et le philosophe religieux partent du même désarroi et se soutiennent dans la même angoisse. Mais l'essentiel est d'expliquer. La nostalgie est plus forte ici que la science. Il est significatif que la pensée de l'époque soit à la fois l'une des plus pénétrées d'une philosophie de la non-signification du monde et l'une des plus déchirées dans ses conclusions. Elle ne cesse d'osciller entre l'extrême rationalisation du réel qui pousse à la fragmenter en raisons-types et son extrême irrationalisation qui pousse à le diviniser. Mais ce divorce n'est qu'apparent. Il s'agit de se réconcilier et, dans les deux cas, le saut y suffit. On croit toujours à tort que la notion de raison est à sens unique. Au vrai, si rigoureux qu'il soit dans son ambition, ce concept n'en est pas moins aussi mobile que d'autres. La raison porte un visage tout humain, mais elle sait aussi se tourner vers le divin. Depuis Plotin qui le premier sut la concilier avec le climat éternel, elle a appris à se détourner du plus cher de ses principes qui est la contradiction pour en intégrer le plus étrange, celui, tout magique, de participation[1]. Elle est un instrument de pensée et non la pensée elle-même. La pensée d'un homme est avant tout sa nostalgie.

De même que la raison sut apaiser la mélan-

---

1. A. – A cette époque, il fallait que la raison s'adaptât ou mourût. Elle s'adapte. Avec Plotin, de logique elle devient esthétique. La métaphore remplace le syllogisme.

B. – D'ailleurs ce n'est pas la seule contribution de Plotin à la phénoménologie. Toute cette attitude est déjà contenue dans l'idée si chère au penseur alexandrin qu'il n'y a pas seulement une idée de l'homme, mais aussi une idée de Socrate.

colie plotinienne, elle donne à l'angoisse moderne les moyens de se calmer dans les décors familiers de l'éternel. L'esprit absurde a moins de chance. Le monde pour lui n'est ni aussi rationnel, ni à ce point irrationnel. Il est déraisonnable et il n'est que cela. La raison chez Husserl finit par n'avoir point de limites. L'absurde fixe au contraire ses limites puisqu'elle est impuissante à calmer son angoisse. Kierkegaard d'un autre côté affirme qu'une seule limite suffit à la nier. Mais l'absurde ne va pas si loin. Cette limite pour lui vise seulement les ambitions de la raison. Le thème de l'irrationnel, tel qu'il est conçu par les existentiels, c'est la raison qui se brouille et se délivre en se niant. L'absurde, c'est la raison lucide qui constate ses limites.

C'est au bout de ce chemin difficile que l'homme absurde reconnaît ses vraies raisons. A comparer son exigence profonde et ce qu'on lui propose alors, il sent soudain qu'il va se détourner. Dans l'univers d'Husserl, le monde se clarifie et cet appétit de familiarité qui tient au cœur de l'homme devient inutile. Dans l'apocalypse de Kierkegaard, ce désir de clarté doit se renoncer s'il veut être satisfait. Le péché n'est point tant de savoir (à ce compte, tout le monde est innocent), que de désirer savoir. Justement, c'est le seul péché dont l'homme absurde puisse sentir qu'il fait à la fois sa culpabilité et son innocence. On lui propose un dénouement où toutes les contradictions passées ne sont plus que des jeux polémiques. Mais ce n'est pas ainsi qu'il les a ressenties. Il faut garder leur vérité qui est de ne point être satisfaites. Il ne veut pas de la prédication.

Mon raisonnement veut être fidèle à l'évidence qui l'a éveillé. Cette évidence, c'est l'absurde. C'est ce divorce entre l'esprit qui désire et le monde qui déçoit, ma nostalgie d'unité, cet univers dispersé et la contradiction qui les enchaîne. Kierkegaard supprime ma nostalgie et Husserl rassemble cet univers. Ce n'est pas cela que j'attendais. Il s'agissait de vivre et de penser avec ces déchirements, de savoir s'il fallait accepter ou refuser. Il ne peut être question de masquer l'évidence, de supprimer l'absurde en niant l'un des termes de son équation. Il faut savoir si l'on peut en vivre ou si la logique commande qu'on en meure. Je ne m'intéresse pas au suicide philosophique, mais au suicide tout court. Je veux seulement le purger de son contenu d'émotions et connaître sa logique et son honnêteté. Toute autre position suppose pour l'esprit absurde l'escamotage et le recul de l'esprit devant ce que l'esprit met à jour. Husserl dit obéir au désir d'échapper « à l'habitude invétérée de vivre et de penser dans certaines conditions d'existence déjà bien connues et commodes », mais le saut final nous restitue chez lui l'éternel et son confort. Le saut ne figure pas un extrême danger comme le voudrait Kierkegaard. Le péril au contraire est dans l'instant subtil qui précède le saut. Savoir se maintenir sur cette arête vertigineuse, voilà l'honnêteté, le reste est subterfuge. Je sais aussi que jamais l'impuissance n'a inspiré d'aussi émouvants accords que ceux de Kierkegaard. Mais si l'impuissance a sa place dans les paysages indifférents de l'histoire, elle ne saurait la trouver dans un raisonnement dont on sait maintenant l'exigence.

LA LIBERTÉ ABSURDE

Maintenant le principal est fait. Je tiens quelques évidences dont je ne peux me détacher. Ce que je sais, ce qui est sûr, ce que je ne peux nier, ce que je ne peux rejeter, voilà ce qui compte. Je peux tout nier de cette partie de moi qui vit de nostalgies incertaines, sauf ce désir d'unité, cet appétit de résoudre, cette exigence de clarté et de cohésion. Je peux tout réfuter dans ce monde qui m'entoure, me heurte ou me transporte, sauf ce chaos, ce hasard roi et cette divine équivalence qui naît de l'anarchie. Je ne sais pas si ce monde a un sens qui le dépasse. Mais je sais que je ne connais pas ce sens et qu'il m'est impossible pour le moment de le connaître. Que signifie pour moi signification hors de ma condition? Je ne puis comprendre qu'en termes humains. Ce que je touche, ce qui me résiste, voilà ce que je comprends. Et ces deux certitudes, mon appétit d'absolu et d'unité et l'irréductibilité de ce monde à un principe rationnel et raisonnable, je sais encore que je ne puis les concilier. Quelle autre vérité puis-je reconnaître sans mentir, sans faire intervenir un espoir que je n'ai pas et qui ne signifie rien dans les limites de ma condition?

Si j'étais arbre parmi les arbres, chat parmi les animaux, cette vie aurait un sens ou plutôt ce problème n'en aurait point car je ferais partie de ce monde. Je *serais* ce monde auquel je m'oppose maintenant par toute ma conscience et par toute mon exigence de familiarité. Cette raison si dérisoire, c'est elle qui m'oppose à toute la création. Je ne puis la nier d'un trait de plume. Ce que je crois vrai, je dois donc le maintenir. Ce qui m'apparaît si évident, même contre moi, je dois le soutenir. Et qu'est-ce qui fait le fond de ce conflit, de cette fracture entre le monde et mon esprit, sinon la conscience que j'en ai? Si donc je veux le maintenir, c'est par une conscience perpétuelle, toujours renouvelée, toujours tendue. Voilà ce que, pour le moment, il me faut retenir. A ce moment, l'absurde, à la fois si évident et si difficile à conquérir, rentre dans la vie d'un homme et retrouve sa patrie. A ce moment encore, l'esprit peut quitter la route aride et desséchée de l'effort lucide. Elle débouche maintenant dans la vie quotidienne. Elle retrouve le monde de l' « on » anonyme, mais l'homme y rentre désormais avec sa révolte et sa clairvoyance. Il a désappris d'espérer. Cet enfer du présent, c'est enfin son royaume. Tous les problèmes reprennent leur tranchant. L'évidence abstraite se retire de-

vant le lyrisme des formes et des couleurs. Les
conflits spirituels s'incarnent et retrouvent
l'abri misérable et magnifique du cœur de
l'homme. Aucun n'est résolu. Mais tous sont
transfigurés. Va-t-on mourir, échapper par le
saut, reconstruire une maison d'idées et de
formes à sa mesure? Va-t-on au contraire
soutenir le pari déchirant et merveilleux de
l'absurde? Faisons à cet égard un dernier
effort et tirons toutes nos conséquences. Le
corps, la tendresse, la création, l'action, la
noblesse humaine, reprendront alors leur
place dans ce monde insensé. L'homme y
retrouvera enfin le vin de l'absurde et le pain
de l'indifférence dont il nourrit sa grandeur.

Insistons encore sur la méthode : il s'agit de
s'obstiner. A un certain point de son chemin,
l'homme absurde est sollicité. L'histoire ne
manque ni de religions, ni de prophètes,
même sans dieux. On lui demande de sauter.
Tout ce qu'il peut répondre, c'est qu'il ne
comprend pas bien, que cela n'est pas évident.
Il ne veut faire justement que ce qu'il comprend bien. On lui assure que c'est péché
d'orgueil, mais il n'entend pas la notion de
péché; que peut-être l'enfer est au bout, mais
il n'a pas assez d'imagination pour se représenter cet étrange avenir; qu'il perd la vie
immortelle, mais cela lui paraît futile. On
voudrait lui faire reconnaître sa culpabilité.
Lui se sent innocent. A vrai dire, il ne sent que
cela, son innocence irréparable. C'est elle qui
lui permet tout. Ainsi ce qu'il exige de lui-

même, c'est de vivre *seulement* avec ce qu'il sait, de s'arranger de ce qui est et ne rien faire intervenir qui ne soit certain. On lui répond que rien ne l'est. Mais ceci du moins est une certitude. C'est avec elle qu'il a affaire : il veut savoir s'il est possible de vivre sans appel.

Je puis aborder maintenant la notion de suicide. On a senti déjà quelle solution il est possible de lui donner. A ce point, le problème est inversé. Il s'agissait précédemment de savoir si la vie devait avoir un sens pour être vécue. Il apparaît ici au contraire qu'elle sera d'autant mieux vécue qu'elle n'aura pas de sens. Vivre une expérience, un destin, c'est l'accepter pleinement. Or on ne vivra pas ce destin, le sachant absurde, si on ne fait pas tout pour maintenir devant soi cet absurde mis à jour par la conscience. Nier l'un des termes de l'opposition dont il vit, c'est lui échapper. Abolir la révolte consciente, c'est éluder le problème. Le thème de la révolution permanente se transporte ainsi dans l'expérience individuelle. Vivre, c'est faire vivre l'absurde. Le faire vivre, c'est avant tout le regarder. Au contraire d'Eurydice, l'absurde ne meurt que lorsqu'on s'en détourne. L'une des seules positions philosophiques cohérentes, c'est ainsi la révolte. Elle est un confrontement perpétuel de l'homme et de sa propre obscurité. Elle est exigence d'une impossible transparence. Elle remet le monde en question à chacune de ses secondes. De même que le danger fournit à l'homme l'irremplaçable occasion de la saisir, de même la révolte métaphysique étend la conscience tout le long de l'expérience. Elle est cette présence constante de l'homme à lui-même. Elle n'est pas aspiration, elle est sans espoir. Cette révolte n'est que l'assurance d'un destin écrasant, moins la résignation qui devrait l'accompagner.

C'est ici qu'on voit à quel point l'expérience absurde s'éloigne du suicide. On peut croire que le suicide suit la révolte. Mais à tort. Car il ne figure pas son aboutissement logique. Il est exactement son contraire, par le consentement qu'il suppose. Le suicide, comme le saut, est l'acceptation à sa limite. Tout est consommé, l'homme rentre dans son histoire essentielle. Son avenir, son seul et terrible avenir, il le discerne et s'y précipite. A sa manière, le suicide résout l'absurde. Il l'entraîne dans la même mort. Mais je sais que pour se maintenir, l'absurde ne peut se résoudre. Il échappe au suicide, dans la mesure où il est en même temps conscience et refus de la mort. Il est, à l'extrême pointe de la dernière pensée du condamné à mort ce cordon de soulier qu'en dépit de tout il aperçoit à quelques mètres, au bord même de sa chute vertigineuse. Le contraire du suicidé, précisément, c'est le condamné à mort.

Cette révolte donne son prix à la vie. Etendue sur toute la longueur d'une existence, elle lui restitue sa grandeur. Pour un homme sans œillères, il n'est pas de plus beau spectacle que celui de l'intelligence aux prises avec une réalité qui le dépasse. Le spectacle de l'orgueil humain est inégalable. Toutes les dépréciations n'y feront rien. Cette discipline que l'esprit se dicte à lui-même, cette volonté forgée de toutes pièces, ce face-à-face, ont quelque chose de puissant et de singulier. Appauvrir cette réalité dont l'inhumanité fait la grandeur de l'homme, c'est du même coup l'appauvrir lui-même. Je comprends alors pourquoi les doctrines qui m'expliquent tout m'affaiblissent en même temps. Elles me déchargent du poids de ma propre vie et il faut bien pourtant que je le porte seul. A ce tournant, je ne puis concevoir qu'une métaphysique sceptique aille s'allier à une morale du renoncement.

Conscience et révolte, ces refus sont le contraire du renoncement. Tout ce qu'il y a d'irréductible et de passionné dans un cœur humain les anime au contraire de sa vie. Il s'agit de mourir irréconcilié et non pas de plein gré. Le suicide est une méconnaissance. L'homme absurde ne peut que tout épuiser, et s'épuiser. L'absurde est sa tension la plus extrême, celle qu'il maintient constamment d'un effort solitaire, car il sait que dans cette conscience et dans cette révolte au jour le jour, il témoigne de sa seule vérité qui est le défi. Ceci est une première conséquence.

Si je me maintiens dans cette position concertée qui consiste à tirer toutes les conséquences (et rien qu'elles) qu'une notion découverte entraîne, je me trouve en face d'un second paradoxe. Pour rester fidèle à cette méthode, je n'ai rien à faire avec le problème de la liberté métaphysique. Savoir si l'homme est libre ne m'intéresse pas. Je ne puis éprouver que ma propre liberté. Sur elle, je ne puis avoir de notions générales, mais quelques aperçus clairs. Le problème de « la liberté en soi » n'a pas de sens. Car il est lié d'une tout autre façon à celui de Dieu. Savoir si l'homme est libre commande qu'on sache s'il peut avoir un maître. L'absurdité particulière à ce problème vient de ce que la notion même qui rend possible le problème de la liberté lui retire en même temps tout son sens. Car devant Dieu, il y a moins un problème de la liberté qu'un problème du mal. On connaît l'alternative : ou nous ne sommes pas libres et Dieu tout-puissant est responsable du mal. Ou nous sommes libres et responsables mais Dieu n'est pas tout-puissant. Toutes les subtilités d'écoles n'ont rien ajouté ni soustrait au tranchant de ce paradoxe.

C'est pourquoi je ne puis pas me perdre dans l'exaltation ou la simple définition d'une notion qui m'échappe et perd son sens à partir du moment où elle déborde le cadre de mon expérience individuelle. Je ne puis comprendre ce que peut être une liberté qui me serait donnée par un être supérieur. J'ai perdu le

sens de la hiérarchie. Je ne puis avoir de la
liberté que la conception du prisonnier ou de
l'individu moderne au sein de l'Etat. La seule
que je connaisse, c'est la liberté d'esprit et
d'action. Or si l'absurde annihile toutes mes
chances de liberté éternelle, il me rend et
exalte au contraire ma liberté d'action. Cette
privation d'espoir et d'avenir signifie un ac-
croissement dans la disponibilité de l'homme.

Avant de rencontrer l'absurde, l'homme
quotidien vit avec des buts, un souci d'avenir
ou de justification (à l'égard de qui ou de quoi,
ce n'est pas la question). Il évalue ses chances,
il compte sur le plus tard, sur sa retraite ou le
travail de ses fils. Il croit encore que quelque
chose dans sa vie peut se diriger. Au vrai, il
agit comme s'il était libre, même si tous les
faits se chargent de contredire cette liberté.
Après l'absurde, tout se trouve ébranlé. Cette
idée que « je suis », ma façon d'agir comme si
tout a un sens (même si, à l'occasion, je disais
que rien n'en a), tout cela se trouve démenti
d'une façon vertigineuse par l'absurdité d'une
mort possible. Penser au lendemain, se fixer
un but, avoir des préférences, tout cela suppose la croyance à la liberté, même si l'on
s'assure parfois de ne pas la ressentir. Mais à
ce moment, cette liberté supérieure, cette
liberté d'*être* qui seule peut fonder une vérité,
je sais bien alors qu'elle n'est pas. La mort est
là comme seule réalité. Après elle, les jeux
sont faits. Je suis non plus libre de me perpé-
tuer, mais esclave, et surtout esclave sans

espoir de révolution éternelle, sans recours au mépris. Et qui sans révolution et sans mépris peut demeurer esclave ? Quelle liberté peut exister au sens plein, sans assurance d'éternité ?

Mais en même temps, l'homme absurde comprend que jusqu'ici, il était lié à ce postulat de liberté sur l'illusion de quoi il vivait. Dans un certain sens, cela l'entravait. Dans la mesure où il imaginait un but à sa vie, il se conformait aux exigences d'un but à atteindre et devenait esclave de sa liberté. Ainsi, je ne saurais plus agir autrement que comme le père de famille (ou l'ingénieur ou le conducteur de peuples, ou le surnuméraire aux P.T.T.) que je me prépare à être. Je crois que je puis choisir d'être cela plutôt qu'autre chose. Je le crois inconsciemment, il est vrai. Mais je soutiens en même temps mon postulat des croyances de ceux qui m'entourent, des préjugés de mon milieu humain (les autres sont si sûrs d'être libres et cette bonne humeur est si contagieuse !). Si loin qu'on puisse se tenir de tout préjugé, moral ou social, on les subit en partie et même, pour les meilleurs d'entre eux (il y a de bons et de mauvais préjugés), on leur conforme sa vie. Ainsi l'homme absurde comprend qu'il n'était pas réellement libre. Pour parler clair, dans la mesure où j'espère, où je m'inquiète d'une vérité qui me soit propre, d'une façon d'être ou de créer, dans la mesure enfin où j'ordonne ma vie et où je prouve par là que j'admets qu'elle ait un sens, je me crée des barrières entre quoi je resserre ma vie. Je fais comme tant de fonctionnaires de l'esprit et du cœur qui ne m'inspirent que du dégoût et qui ne font pas autre chose, je le vois bien maintenant, que de prendre au sérieux la liberté de l'homme.

L'absurde m'éclaire sur ce point : il n'y a pas de lendemain. Voici désormais la raison de ma liberté profonde. Je prendrai ici deux comparaisons. Les mystiques d'abord trouvent une liberté à se donner. A s'abîmer dans leur dieu, à consentir à ses règles, ils deviennent secrètement libres à leur tour. C'est dans l'esclavage spontanément consenti qu'ils retrouvent une indépendance profonde. Mais que signifie cette liberté? On peut dire surtout qu'ils se *sentent* libres vis-à-vis d'eux-mêmes et moins libres que surtout libérés. De même, tout entier tourné vers la mort (prise ici comme l'absurdité la plus évidente), l'homme absurde se sent dégagé de tout ce qui n'est pas cette attention passionnée qui cristallise en lui. Il goûte une liberté à l'égard des règles communes. On voit ici que les thèmes de départ de la philosophie existentielle gardent toute leur valeur. Le retour à la conscience, l'évasion hors du sommeil quotidien figurent les premières démarches de la liberté absurde. Mais c'est la *prédication* existentielle qui est visée et avec elle ce saut spirituel qui dans le fond échappe à la conscience. De la même façon (c'est ma deuxième comparaison) les esclaves de l'Antiquité ne s'appartenaient pas. Mais ils connaissaient cette liberté qui consiste à ne point se sentir responsables[1]. La mort aussi a des mains patriciennes qui écrasent, mais qui délivrent.

S'abîmer dans cette certitude sans fond, se sentir désormais assez étranger à sa propre vie pour l'accroître et la parcourir sans la myopie de l'amant, il y a là le principe d'une libération. Cette indépendance nouvelle est à terme, comme toute liberté d'action. Elle ne tire pas de chèque sur l'éternité. Mais elle remplace les illusions de la *liberté*, qui toutes s'arrêtaient à la mort. La divine disponibilité du condamné à mort devant qui s'ouvrent les portes de la prison par une certaine petite aube, cet incroyable désintéressement à l'égard de tout, sauf de la flamme pure de la vie, la mort et l'absurde sont ici, on le sent bien, les principes de la seule liberté raisonnable : celle qu'un cœur humain peut éprouver et vivre. Ceci est une deuxième conséquence. L'homme absurde entrevoit ainsi un univers brûlant et glacé, transparent et limité, où rien n'est possible mais tout est donné, passé lequel c'est l'effondrement et le néant. Il peut alors décider d'accepter de vivre dans un tel univers et d'en tirer ses forces, son refus d'espérer et le témoignage obstiné d'une vie sans consolation.

1. Il s'agit ici d'une comparaison de fait, non d'une apologie de l'humilité. L'homme absurde est le contraire de l'homme réconcilié.

Mais que signifie la vie dans un tel univers? Rien d'autre pour le moment que l'indifférence à l'avenir et la passion d'épuiser tout ce qui est donné. La croyance au sens de la vie suppose toujours une échelle de valeurs, un choix, nos préférences. La croyance à l'absurde, selon nos définitions, enseigne le contraire. Mais cela vaut qu'on s'y arrête.

Savoir si l'on peut vivre sans appel, c'est tout ce qui m'intéresse. Je ne veux point sortir de ce terrain. Ce visage de la vie m'étant donné, puis-je m'en accommoder? Or, en face de ce souci particulier, la croyance à l'absurde revient à remplacer la qualité des expériences par la quantité. Si je me persuade que cette vie n'a d'autre face que celle de l'absurde, si j'éprouve que tout son équilibre tient à cette perpétuelle opposition entre ma révolte consciente et l'obscurité où elle se débat, si j'admets que ma liberté n'a de sens que par rapport à son destin limité, alors je dois dire que ce qui compte n'est pas de vivre le mieux mais de vivre le plus. Je n'ai pas à me demander si cela est vulgaire ou écœurant, élégant ou regrettable. Une fois pour toutes, les jugements de valeur sont écartés ici au profit des jugements de fait. J'ai seulement à tirer les conclusions de ce que je puis voir et à ne rien hasarder qui soit une hypothèse. A supposer que vivre ainsi ne fût pas honnête, alors la véritable honnêteté me commanderait d'être déshonnête.

Vivre le plus; au sens large, cette règle de vie ne signifie rien. Il faut la préciser. Il semble d'abord qu'on n'ait pas assez creusé cette notion de quantité. Car elle peut rendre compte d'une large part de l'expérience humaine. La morale d'un homme, son échelle de valeurs n'ont de sens que par la quantité et la variété d'expériences qu'il lui a été donné d'accumuler. Or les conditions de la vie moderne imposent à la majorité des hommes la même quantité d'expériences et partant la même expérience profonde. Certes, il faut bien considérer aussi l'apport spontané de l'individu, ce qui en lui est « donné ». Mais je ne puis juger de cela et encore une fois ma règle ici est de m'arranger de l'évidence immédiate. Je vois alors que le caractère propre d'une morale commune réside moins dans l'importance idéale des principes qui l'animent que dans la norme d'une expérience qu'il est possible de calibrer. En forçant un peu les choses, les Grecs avaient la morale de leurs loisirs comme nous avons celle de nos journées de huit heures. Mais beaucoup d'hommes déjà et parmi les plus tragiques nous font pressentir qu'une plus longue expérience change ce tableau des valeurs. Ils nous font imaginer cet aventurier du quotidien qui par la simple quantité des expériences battrait tous les records (j'emploie à dessein ce terme sportif) et gagnerait ainsi sa propre morale[1]. Eloignons-nous cependant du romantisme et demandons-nous seulement ce que peut signifier cette attitude pour un homme décidé à tenir son pari et à observer strictement ce qu'il croit être la règle du jeu.

Battre tous les records, c'est d'abord et uniquement être en face du monde le plus souvent possible. Comment cela peut-il se faire sans contradictions et sans jeux de mots ? Car d'une part l'absurde enseigne que toutes les expériences sont indifférentes et, de l'autre, il pousse vers la plus grande quantité d'expériences. Comment alors ne point faire comme tant de ces hommes dont je parlais plus haut, choisir la forme de vie qui nous apporte le plus possible de cette matière humaine, introduire par là une échelle de valeurs que d'un autre côté on prétend rejeter ?

Mais c'est encore l'absurde et sa vie contradictoire qui nous enseigne. Car l'erreur est de penser que cette quantité d'expérience dépend des circonstances de notre vie quand elle ne dépend que de nous. Il faut ici être simpliste. A deux hommes vivant le même

---

1. La quantité fait quelquefois la qualité. Si j'en crois les dernières mises au point de la théorie scientifique, toute matière est constituée par des centres d'énergie. Leur quantité plus ou moins grande fait sa spécificité plus ou moins singulière. Un milliard d'ions et un ion diffèrent non seulement en quantité, mais encore en qualité. L'analogie est facile à retrouver dans l'expérience humaine.

nombre d'années, le monde fournit toujours la même somme d'expériences. C'est à nous d'en être conscients. Sentir sa vie, sa révolte, sa liberté, et le plus possible, c'est vivre et le plus possible. Là où la lucidité règne, l'échelle des valeurs devient inutile. Soyons encore plus simplistes. Disons que le seul obstacle, le seul « manque à gagner » est constitué par la mort prématurée. L'univers suggéré ici ne vit que par opposition à cette constante exception qu'est la mort. C'est ainsi qu'aucune profondeur, aucune émotion, aucune passion et aucun sacrifice ne pourraient rendre égales aux yeux de l'homme absurde (même s'il le souhaitait) une vie consciente de quarante ans et une lucidité étendue sur soixante ans[1]. La folie et la mort, ce sont ses irrémédiables. L'homme ne choisit pas. L'absurde et le surcroît de vie qu'il comporte *ne dépendent donc pas de la volonté de l'homme* mais de son contraire qui est la mort[2]. En pesant bien les mots, il s'agit uniquement d'une question de chance. Il faut savoir y consentir. Vingt ans de

1. Même réflexion sur une notion aussi différente que l'idée du néant. Elle n'ajoute ni ne retranche rien au réel. Dans l'expérience psychologique du néant, c'est à la considération de ce qui arrivera dans deux mille ans que notre propre néant prend véritablement son sens. Sous un de ses aspects, le néant est fait exactement de la somme des vies à venir qui ne seront pas les nôtres.

2. La volonté n'est ici que l'agent : elle tend à maintenir la conscience. Elle fournit une discipline de vie, cela est appréciable.

vie et d'expériences ne se remplaceront plus jamais.

Par une étrange inconséquence dans une race si avertie, les Grecs voulaient que les hommes qui mouraient jeunes fussent aimés des dieux. Et cela n'est vrai que si l'on veut admettre qu'entrer dans le monde dérisoire des dieux, c'est perdre à jamais la plus pure des joies qui est de sentir et de sentir sur cette terre. Le présent et la succession des présents devant une âme sans cesse consciente, c'est l'idéal de l'homme absurde. Mais le mot idéal ici garde un son faux. Ce n'est pas même sa vocation, mais seulement la troisième conséquence de son raisonnement. Partie d'une conscience angoissée de l'inhumain, la méditation sur l'absurde revient à la fin de son itinéraire au sein même des flammes passionnées de la révolte humaine[1].

Je tire ainsi de l'absurde trois conséquences qui sont ma révolte, ma liberté et ma passion. Par le seul jeu de la conscience, je transforme en règle de vie ce qui était invitation à la mort

---

1. Ce qui importe c'est la cohérence. On part ici d'un consentement au monde. Mais la pensée orientale enseigne qu'on peut se livrer au même effort de logique en choisissant *contre* le monde. Cela est aussi légitime et donne à cet essai sa perspective et ses limites. Mais quand la négation du monde s'exerce avec la même rigueur on parvient souvent (dans certaines écoles vedantas) à des résultats semblables en ce qui concerne par exemple l'indifférence des œuvres. Dans un livre d'une grande importance, *Le choix*, Jean Grenier fonde de cette façon une véritable « philosophie de l'indifférence ».

– et je refuse le suicide. Je connais sans doute la sourde résonance qui court au long de ces journées. Mais je n'ai qu'un mot à dire : c'est qu'elle est nécessaire. Quand Nietzsche écrit : « Il apparaît clairement que la chose principale au ciel et sur la terre est d'*obéir* longtemps et dans une même direction : à la longue il en résulte quelque chose pour quoi il vaille la peine de vivre sur cette terre comme par exemple la vertu, l'art, la musique, la danse, la raison l'esprit, quelque chose qui transfigure, quelque chose de raffiné, de fou ou de divin », il illustre la règle d'une morale de grande allure. Mais il montre aussi le chemin de l'homme absurde. Obéir à la flamme, c'est à la fois ce qu'il y a de plus facile et de plus difficile. Il est bon cependant que l'homme, en se mesurant à la difficulté, se juge quelquefois. Il est seul à pouvoir le faire.

« La prière, dit Alain, c'est quand la nuit vient sur la pensée. – Mais il faut que l'esprit rencontre la nuit », répondent les mystiques et les existentiels. Certes, mais non pas cette nuit qui naît sous les yeux fermés et par la seule volonté de l'homme – nuit sombre et close que l'esprit suscite pour s'y perdre. S'il doit rencontrer une nuit, que ce soit plutôt celle du désespoir qui reste lucide, nuit polaire, veille de l'esprit, d'où se lèvera peut-être cette clarté blanche et intacte qui dessine chaque objet dans la lumière de l'intelligence. A ce degré, l'équivalence rencontre la compréhension passionnée. Il n'est même plus question alors de juger le saut existentiel. Il reprend son rang au milieu de la fresque séculaire des attitudes humaines. Pour le spectateur, s'il est conscient, ce saut est encore absurde. Dans la mesure où il croit résoudre ce paradoxe, il le restitue tout entier. A ce titre, il est émouvant. A ce titre, tout reprend sa place et le monde absurde renaît dans sa splendeur et sa diversité.

Mais il est mauvais de s'arrêter, difficile de se contenter d'une seule manière de voir, de se priver de la contradiction, la plus subtile peut-être de toutes les formes spirituelles. Ce qui précède définit seulement une façon de penser. Maintenant, il s'agit de vivre.

L'homme absurde

Si Stavroguine croit, il ne croit pas qu'il croie. S'il ne croit pas, il ne croit pas qu'il ne croie pas.

Les Possédés.

« Mon champ, dit Goethe, c'est le temps. »
Voilà bien la parole absurde. Qu'est-ce en effet
que l'homme absurde? Celui qui, sans le nier,
ne fait rien pour l'éternel. Non que la nostalgie
lui soit étrangère. Mais il lui préfère son
courage et son raisonnement. Le premier lui
apprend à vivre sans appel et se suffire de ce
qu'il a, le second l'instruit de ses limites.
Assuré de sa liberté à terme, de sa révolte sans
avenir et de sa conscience périssable, il poursuit son aventure dans le temps de sa vie. Là
est son champ, là son action qu'il soustrait à
tout jugement hormis le sien. Une plus grande
vie ne peut signifier pour lui une autre vie. Ce
serait déshonnête. Je ne parle même pas ici de
cette éternité dérisoire qu'on appelle postérité. Madame Roland s'en remettait à elle. Cette
imprudence a reçu sa leçon. La postérité cite
volontiers ce mot, mais oublie d'en juger.
Madame Roland est indifférente à la postérité.

Il ne peut être question de disserter sur la

morale. J'ai vu des gens mal agir avec beaucoup de morale et je constate tous les jours que l'honnêteté n'a pas besoin de règles. Il n'est qu'une morale que l'homme absurde puisse admettre, celle qui ne se sépare pas de Dieu : celle qui se dicte. Mais il vit justement hors de ce Dieu. Quant aux autres morales (j'entends aussi l'immoralisme), l'homme absurde n'y voit que des justifications et il n'a rien à justifier. Je pars ici du principe de son innocence.

Cette innocence est redoutable. « Tout est permis », s'écrie Ivan Karamazov. Cela aussi sent son absurde. Mais à condition de ne pas l'entendre vulgairement. Je ne sais si on l'a bien remarqué : il ne s'agit pas d'un cri de délivrance et de joie, mais d'une constatation amère. La certitude d'un Dieu qui donnerait son sens à la vie surpasse de beaucoup en attrait le pouvoir impuni de mal faire. Le choix ne serait pas difficile. Mais il n'y a pas de choix et l'amertume commence alors. L'absurde ne délivre pas, il lie. Il n'autorise pas tous les actes. Tout est permis ne signifie pas que rien n'est défendu. L'absurde rend seulement leur équivalence aux conséquences de ses actes. Il ne recommande pas le crime, ce serait puéril, mais il restitue au remords son inutilité. De même, si toutes les expériences sont indifférentes, celle du devoir est aussi légitime qu'une autre. On peut être vertueux par caprice.

Toutes les morales sont fondées sur l'idée

qu'un acte a des conséquences qui le légitiment ou l'oblitèrent. Un esprit pénétré d'absurde juge seulement que ces suites doivent
être considérées avec sérénité. Il est prêt à
payer. Autrement dit, si, pour lui, il peut y
avoir des responsables, il n'y a pas de coupa-
bles. Tout au plus, consentira-t-il à utiliser
l'expérience passée pour fonder ses actes
futurs. Le temps fera vivre le temps et la vie
servira la vie. Dans ce champ à la fois borné et
gorgé de possibles, tout en lui-même, hors sa
lucidité, lui semble imprévisible. Quelle règle
pourrait donc sortir de cet ordre déraisonnable ? La seule vérité qui puisse lui paraître
instructive n'est point formelle : elle s'anime
et se déroule dans les hommes. Ce ne sont
donc point des règles éthiques que l'esprit
absurde peut chercher au bout de son raisonnement, mais des illustrations et le souffle des
vies humaines. Les quelques images qui suivent sont de celles-là. Elles poursuivent le
raisonnement absurde en lui donnant son
attitude et leur chaleur.

Ai-je besoin de développer l'idée qu'un
exemple n'est pas forcément un exemple à
suivre (moins encore s'il se peut dans le
monde absurde), et que ces illustrations ne
sont pas pour autant des modèles ? Outre qu'il
y faut la vocation, on se rend ridicule, toutes
proportions gardées, à tirer de Rousseau qu'il
faille marcher à quatre pattes et de Nietzsche
qu'il convienne de brutaliser sa mère. « Il faut
être absurde, écrit un auteur moderne, il ne

faut pas être dupe. » Les attitudes dont il sera question ne peuvent prendre tout leur sens qu'à la considération de leurs contraires. Un surnuméraire aux Postes est l'égal d'un conquérant si la conscience leur est commune. Toutes les expériences sont à cet égard indifférentes. Il en est qui servent ou desservent l'homme. Elles le servent s'il est conscient. Sinon, cela n'a pas d'importance : les défaites d'un homme ne jugent pas les circonstances, mais lui-même.

Je choisis seulement des hommes qui ne visent qu'à s'épuiser ou dont j'ai conscience pour eux qu'ils s'épuisent. Cela ne va pas plus loin. Je ne veux parler pour l'instant que d'un monde où les pensées comme les vies sont privées d'avenir. Tout ce qui fait travailler et s'agiter l'homme utilise l'espoir. La seule pensée qui ne soit mensongère est donc une pensée stérile. Dans le monde absurde, la valeur d'une notion ou d'une vie se mesure à son infécondité.

LE DON JUANISME

S'il suffisait d'aimer, les choses seraient trop simples. Plus on aime et plus l'absurde se consolide. Ce n'est point par manque d'amour que Don Juan va de femme en femme. Il est ridicule de le représenter comme un illuminé en quête de l'amour total. Mais c'est bien parce qu'il les aime avec un égal emportement et chaque fois avec tout lui-même, qu'il lui faut répéter ce don et cet approfondissement. De là que chacune espère lui apporter ce que personne ne lui a jamais donné. Chaque fois, elles se trompent profondément et réussissent seulement à lui faire sentir le besoin de cette répétition. « Enfin, s'écrie l'une d'elles, je t'ai donné l'amour. » S'étonnera-t-on que Don Juan en rie : « Enfin ? non, dit-il, mais une fois de plus. » Pourquoi faudrait-il aimer rarement pour aimer beaucoup ?

Don Juan est-il triste ? Cela n'est pas vraisemblable. A peine ferai-je appel à la chroni-

que. Ce rire, l'insolence victorieuse, ce bondis-
sement et le goût du théâtre, cela est clair et
joyeux. Tout être sain tend à se multiplier.
Ainsi de Don Juan. Mais de plus, les tristes ont
deux raisons de l'être, ils ignorent ou ils
espèrent. Don Juan sait et n'espère pas. Il fait
penser à ces artistes qui connaissaient leurs
limites, ne les excèdent jamais, et dans cet
intervalle précaire où leur esprit s'installe, ont
toute la merveilleuse aisance des maîtres. Et
c'est bien là le génie : l'intelligence qui connaît
ses frontières. Jusqu'à la frontière de la mort
physique, Don Juan ignore la tristesse. Depuis
le moment où il sait, son rire éclate et fait tout
pardonner. Il fut triste dans le temps où il
espéra. Aujourd'hui, sur la bouche de cette
femme, il retrouve le goût amer et réconfor-
tant de la science unique. Amer ? A peine :
cette nécessaire imperfection qui rend sensible le bonheur !

　C'est une grande duperie que d'essayer de
voir en Don Juan un homme nourri de l'Ecclé-
siaste. Car plus rien pour lui n'est vanité sinon
l'espoir d'une autre vie. Il le prouve, puisqu'il
la joue contre le ciel lui-même. Le regret du
désir perdu dans la réjouissance, ce lieu commun de l'impuissance ne lui appartient pas.
Cela va bien pour Faust qui crut assez à Dieu
pour se vendre au diable. Pour Don Juan, la
chose est plus simple. Le « Burlador » de
Molina, aux menaces de l'enfer, répond toujours : « Que tu me donnes un long délai ! » Ce
qui vient après la mort est futile et quelle

longue suite de jours pour qui sait être vivant! Faust réclamait les biens de ce monde : le malheureux n'avait qu'à tendre la main. C'était déjà vendre son âme que de ne pas savoir la réjouir. La satiété, Don Juan l'ordonne au contraire. S'il quitte une femme, ce n'est pas absolument parce qu'il ne la désire plus. Une femme belle est toujours désirable. Mais c'est qu'il en désire une autre et, non, ce n'est pas la même chose.

Cette vie le comble, rien n'est pire que de la perdre. Ce fou est un grand sage. Mais les hommes qui vivent d'espoir s'accommodent mal de cet univers où la bonté cède la place à la générosité, la tendresse au silence viril, la communion au courage solitaire. Et tous de dire : « C'était un faible, un idéaliste ou un saint. » Il faut bien ravaler la grandeur qui insulte.

S'indigne-t-on assez (ou ce rire complice qui dégrade ce qu'il admire) des discours de Don Juan et de cette même phrase qui sert pour toutes les femmes. Mais pour qui cherche la quantité des joies, seule l'efficacité compte. Les mots de passe qui ont fait leurs preuves, à quoi bon les compliquer? Personne, ni la femme, ni l'homme, ne les écoute, mais bien plutôt la voix qui les prononce. Ils sont la règle, la convention et la politesse. On les dit, après quoi le plus important reste à faire. Don Juan s'y prépare déjà. Pourquoi se poserait-il

un problème de morale? Ce n'est pas comme
le Mañara de Milosz par désir d'être un saint
qu'il se damne. L'enfer pour lui est chose
qu'on provoque. A la colère divine, il n'a
qu'une réponse et c'est l'honneur humain :
« J'ai de l'honneur, dit-il au Commandeur, et je
remplis ma promesse parce que je suis cheva-
lier. » Mais l'erreur serait aussi grande d'en
faire un immoraliste. Il est à cet égard
« comme tout le monde » : il a la morale de sa
sympathie ou de son antipathie. On ne comprend bien Don Juan qu'en se référant toujours à ce qu'il symbolise vulgairement : le
séducteur ordinaire et l'homme à femmes. Il
est un séducteur ordinaire[1]. A cette différence
près qu'il est conscient et c'est par là qu'il est
absurde. Un séducteur devenu lucide ne chan-
gera pas pour autant. Séduire est son état. Il
n'y a que dans les romans qu'on change d'état
ou qu'on devient meilleur. Mais on peut dire
qu'à la fois rien n'est changé et tout est
transformé. Ce que Don Juan met en acte,
c'est une éthique de la quantité, au contraire
du saint qui tend vers la qualité. Ne pas croire
au sens profond des choses, c'est le propre de
l'homme absurde. Ces visages chaleureux ou
émerveillés, il les parcourt, les engrange et les
brûle. Le temps marche avec lui. L'homme
absurde est celui qui ne se sépare pas du
temps. Don Juan ne pense pas à « collection-

---

1. Au sens plein et avec ses défauts. Une attitude saine
comprend *aussi* des défauts.

ner » les femmes. Il en épuise le nombre et
avec elles ses chances de vie. Collectionner,
c'est être capable de vivre de son passé. Mais
lui refuse le regret, cette autre forme de
l'espoir. Il ne sait pas regarder les portraits.

Est-il pour autant égoïste? A sa façon sans
doute. Mais là encore, il s'agit de s'entendre. Il
y a ceux qui sont faits pour vivre et ceux qui
sont faits pour aimer. Don Juan du moins le
dirait volontiers. Mais ce serait par un raccourci comme il peut en choisir. Car l'amour
dont on parle ici est paré des illusions de
l'éternel. Tous les spécialistes de la passion
nous l'apprennent, il n'y a d'amour éternel
que contrarié. Il n'est guère de passion sans
lutte. Un pareil amour ne trouve de fin que
dans l'ultime contradiction qui est la mort. Il
faut être Werther ou rien. Là encore, il y a
plusieurs façons de se suicider dont l'une est
le don total et l'oubli de sa propre personne.
Don Juan, autant qu'un autre, sait que cela
peut être émouvant. Mais il est un des seuls à
savoir que l'important n'est pas là. Il le sait
aussi bien : ceux qu'un grand amour détourne
de toute vie personnelle s'enrichissent peut-
être, mais appauvrissent à coup sûr ceux que
leur amour a choisis. Une mère, une femme
passionnée, ont nécessairement le cœur sec,
car il est détourné du monde. Un seul sentiment, un seul être, un seul visage, mais tout
est dévoré. C'est un autre amour qui ébranle

Don Juan, et celui-là est libérateur. Il apporte avec lui tous les visages du monde et son frémissement vient de ce qu'il se connaît périssable. Don Juan a choisi d'être rien.

Il s'agit pour lui de voir clair. Nous n'appelons amour ce qui nous lie à certains êtres que par référence à une façon de voir collective et dont les livres et les légendes sont responsables. Mais de l'amour, je ne connais que ce mélange de désir, de tendresse et d'intelligence qui me lie à tel être. Ce composé n'est pas le même pour tel autre. Je n'ai pas le droit de recouvrir toutes ces expériences du même nom. Cela dispense de les mener des mêmes gestes. L'homme absurde multiplie encore ici ce qu'il ne peut unifier. Ainsi découvre-t-il une nouvelle façon d'être qui le libère au moins autant qu'elle libère ceux qui l'approchent. Il n'y a d'amour généreux que celui qui se sait en même temps passager et singulier. Ce sont toutes ces morts et toutes ces renaissances qui font pour Don Juan la gerbe de sa vie. C'est la façon qu'il a de donner et de faire vivre. Je laisse à juger si l'on peut parler d'égoïsme.

Je pense ici à tous ceux qui veulent absolument que Don Juan soit puni. Non seulement dans une autre vie, mais encore dans celle-ci. Je pense à tous ces contes, ces légendes et ces rires sur Don Juan vieilli. Mais Don Juan s'y tient déjà prêt. Pour un homme conscient, la vieillesse et ce qu'elle présage ne sont pas une surprise. Il n'est justement conscient que dans la mesure où il ne s'en cache pas l'horreur. Il y avait à Athènes un temple consacré à la vieillesse. On y conduisait les enfants. Pour Don Juan, plus on rit de lui et plus sa figure s'accuse. Il refuse par là celle que les romantiques lui prêtèrent. Ce Don Juan torturé et pitoyable, personne ne veut en rire. On le plaint, le ciel lui-même le rachètera? Mais ce n'est pas cela. Dans l'univers que Don Juan entrevoit, le ridicule *aussi* est compris. Il trouverait normal d'être châtié. C'est la règle du jeu. Et c'est justement sa générosité que d'avoir accepté toute la règle du jeu. Mais il sait qu'il a raison et qu'il ne peut s'agir de châtiment. Un destin n'est pas une punition.

C'est cela son crime et comme l'on comprend que les hommes de l'éternel appellent sur lui le châtiment. Il atteint une science sans illusions qui nie tout ce qu'ils professent. Aimer et posséder, conquérir et épuiser, voilà sa façon de connaître. (Il y a du sens dans ce mot favori de l'Ecriture qui appelle « connaître » l'acte d'amour.) Il est leur pire ennemi dans la mesure où il ignore. Un chroniqueur rapporte que le vrai « Burlador » mourut assassiné par des franciscains qui voulurent « mettre un terme aux excès et aux impiétés de Don Juan à qui sa naissance assurait l'impunité ». Ils proclamèrent ensuite que le ciel l'avait foudroyé. Personne n'a fait preuve de cette étrange fin. Personne non plus n'a démontré le contraire. Mais sans me demander si cela est vraisemblable, je puis dire que cela est logique. Je veux absolument retenir ici le terme « naissance » et jouer sur les mots : c'est de vivre qui assurait son innocence. C'est de la mort seule qu'il a tiré une culpabilité maintenant légendaire.

Que signifie d'autre ce commandeur de pierre, cette froide statue mise en branle pour punir le sang et le courage qui ont osé penser ? Tous les pouvoirs de la Raison éternelle, de l'ordre, de la morale universelle, toute la grandeur étrangère d'un Dieu accessible à la colère, se résument en lui. Cette pierre gigantesque et sans âme symbolise seulement les puissances que pour toujours Don Juan a niées. Mais la mission du Commandeur s'arrête là. La foudre et le tonnerre peuvent regagner le ciel factice d'où on les appela. La vraie tragédie se joue en dehors d'eux. Non, ce n'est pas sous une main de pierre que Don Juan est mort. Je crois volontiers à la bravade légendaire, à ce rire insensé de l'homme sain provoquant un dieu qui n'existe pas. Mais je crois surtout que ce soir où Don Juan attendait chez Anna, le Commandeur ne vint pas et que l'impie dut sentir, passé minuit, la terrible amertume de ceux qui ont eu raison. J'accepte plus volontiers encore le récit de sa vie qui le fait s'ensevelir, pour terminer, dans un couvent. Ce n'est pas que le côté édifiant de l'histoire puisse être tenu pour vraisemblable. Quel refuge aller demander à Dieu ? Mais cela figure plutôt le logique aboutissement d'une vie tout entière pénétrée d'absurde, le farouche dénouement d'une existence tournée vers des joies sans lendemain. La jouissance s'achève ici en ascèse. Il faut comprendre qu'elles peuvent être comme les deux visages d'un même dénuement. Quelle image plus effrayante souhaiter : celle d'un homme que son corps trahit et qui, faute d'être mort à temps, consomme la comédie en attendant la fin, face à face avec ce dieu qu'il n'adore pas, le servant comme il a servi la vie, agenouillé devant le vide et les bras tendus vers un ciel sans éloquence qu'il sait aussi sans profondeur.

Je vois Don Juan dans une cellule de ces monastères espagnols perdus sur une colline. Et s'il regarde quelque chose, ce ne sont pas les fantômes des amours enfuies, mais, peut-être, par une meurtrière brûlante, quelque plaine silencieuse d'Espagne, terre magnifique et sans âme où il se reconnaît. Oui, c'est sur cette image mélancolique et rayonnante qu'il faut s'arrêter. La fin dernière, attendue mais jamais souhaitée, la fin dernière est méprisable.

LA COMÉDIE

« Le spectacle, dit Hamlet, voilà le piège où j'attraperai la conscience du roi. » Attraper est bien dit. Car la conscience va vite ou se replie. Il faut la saisir au vol, à ce moment inappréciable où elle jette sur elle-même un regard fugitif. L'homme quotidien n'aime guère à s'attarder. Tout le presse au contraire. Mais en même temps, rien plus que lui-même ne l'intéresse, surtout dans ce qu'il pourrait être. De là son goût pour le théâtre, pour le spectacle, où tant de destins lui sont proposés dont il reçoit la poésie sans en souffrir l'amertume. Là du moins, on reconnaît l'homme inconscient et il continue à se presser vers on ne sait quel espoir. L'homme absurde commence où celui-ci finit, où, cessant d'admirer le jeu, l'esprit veut y entrer. Pénétrer dans toutes ces vies, les éprouver dans leur diversité, c'est proprement les jouer. Je ne dis pas que les acteurs en général obéissent à cet appel, qu'ils sont des hommes absurdes, mais que leur destin est un destin absurde qui pourrait séduire et attirer un cœur clairvoyant. Ceci est nécessaire à poser pour entendre sans contresens ce qui va suivre.

L'acteur règne dans le périssable. De toutes les gloires, on le sait, la sienne est la plus éphémère. Cela se dit du moins dans la conversation. Mais toutes les gloires sont éphémères. Du point de vue de Sirius, les œuvres de Goethe dans dix mille ans seront en poussière et son nom oublié. Quelques archéologues peut-être chercheront des « témoignages » de notre époque. Cette idée a toujours été enseignante. Bien méditée, elle réduit nos agitations à la noblesse profonde qu'on trouve dans l'indifférence. Elle dirige surtout nos préoccupations vers le plus sûr, c'est-à-dire vers l'immédiat. De toutes les gloires, la moins trompeuse est celle qui se vit.

L'acteur a donc choisi la gloire innombrable, celle qui se consacre et qui s'éprouve. De ce que tout doive un jour mourir, c'est lui qui tire la meilleure conclusion. Un acteur réussit ou ne réussit pas. Un écrivain garde un espoir même s'il est méconnu. Il suppose que ses œuvres témoigneront de ce qu'il fut. L'acteur nous laissera au mieux une photographie et rien de ce qui était lui, ses gestes et ses silences, son souffle court ou sa respiration d'amour, ne viendra jusqu'à nous. Ne pas être connu de lui, c'est ne pas jouer, et ne pas jouer, c'est mourir cent fois avec tous les êtres qu'il aurait animés ou ressuscités.

Quoi d'étonnant à trouver une gloire péris-

sable bâtie sur les plus éphémères des créations? L'acteur a trois heures pour être Iago
ou Alceste, Phèdre ou Glocester. Dans ce court
passage, il les fait naître et mourir sur cin-
quante mètres carrés de planches. Jamais l'absurde n'a été si bien ni si longtemps illustré.
Ces vies merveilleuses, ces destins uniques et
complets qui croissent et s'achèvent entre les
murs et pour quelques heures, quel raccourci
souhaiter qui soit plus révélateur? Passé le
plateau, Sigismond n'est plus rien. Deux heures après, on le voit qui dîne en ville. C'est
alors peut-être que la vie est un songe. Mais
après Sigismond vient un autre. Le héros qui
souffre d'incertitude remplace l'homme qui
rugit après sa vengeance. A parcourir ainsi les
siècles et les esprits, à mimer l'homme tel qu'il
peut être et tel qu'il est, l'acteur rejoint cet
autre personnage absurde qui est le voyageur.
Comme lui, il épuise quelque chose et parcourt sans arrêt. Il est le voyageur du temps
et, pour les meilleurs, le voyageur traqué des
âmes. Si jamais la morale de la quantité pouvait trouver un aliment, c'est bien sur cette
scène singulière. Dans quelle mesure l'acteur
bénéficie de ces personnages, il est difficile de
le dire. Mais l'important n'est pas là. Il s'agit
de savoir, seulement, à quel point il s'identifie
à ces vies irremplaçables. Il arrive en effet
qu'il les transporte avec lui, qu'ils débordent
légèrement le temps et l'espace où ils sont nés.
Ils accompagnent l'acteur qui ne se sépare
plus très aisément de ce qu'il a été. Il arrive

que pour prendre son verre, il retrouve le geste d'Hamlet soulevant sa coupe. Non, la distance n'est pas si grande qui le sépare des êtres qu'il fait vivre. Il illustre alors abondamment tous les mois ou tous les jours, cette vérité si féconde qu'il n'y a pas de frontière entre ce qu'un homme veut être et ce qu'il est. A quel point le paraître fait l'être, c'est ce qu'il démontre, toujours occupé de mieux figurer. Car c'est son art, cela, de feindre absolument, d'entrer le plus avant possible dans des vies qui ne sont pas les siennes. Au terme de son effort, sa vocation s'éclaire : s'appliquer de tout son cœur à n'être rien ou à être plusieurs. Plus étroite est la limite qui lui est donnée pour créer son personnage et plus nécessaire est son talent. Il va mourir dans trois heures sous le visage qui est le sien aujourd'hui. Il faut qu'en trois heures il éprouve et exprime tout un destin exceptionnel. Cela s'appelle se perdre pour se retrouver. Dans ces trois heures, il va jusqu'au bout du chemin sans issue que l'homme du parterre met toute sa vie à parcourir.

Mime du périssable, l'acteur ne s'exerce et ne se perfectionne que dans l'apparence. La convention du théâtre, c'est que le cœur ne s'exprime et ne se fait comprendre que par les gestes et dans le corps – ou par la voix qui est autant de l'âme que du corps. La loi de cet art veut que tout soit grossi et se traduise en chair. S'il fallait sur la scène aimer comme l'on aime, user de cette irremplaçable voix du cœur, regarder comme on contemple, notre langage resterait chiffré. Les silences ici doivent se faire entendre. L'amour hausse le ton et l'immobilité même devient spectaculaire. Le corps est roi. N'est pas « théâtral » qui veut et ce mot, déconsidéré à tort, recouvre toute une esthétique et toute une morale. La moitié d'une vie d'homme se passe à sous-entendre, à détourner la tête et à se taire. L'acteur est ici l'intrus. Il lève le sortilège de cette âme enchaînée et les passions se ruent enfin sur leur scène. Elles parlent dans tous les gestes, elles ne vivent que par cris. Ainsi l'acteur compose ses personnages pour la montre. Il les dessine ou les sculpte, il se coule dans leur forme imaginaire et donne à leurs fantômes son sang. Je parle du grand théâtre, cela va sans dire, celui qui donne à l'acteur l'occasion de remplir son destin tout physique. Voyez Shakespeare. Dans ce théâtre du premier mouvement ce sont les fureurs du corps qui mènent la danse. Elles expliquent tout. Sans elles, tout s'écroulerait. Jamais le roi Lear n'irait au rendez-vous que lui donne la folie sans le geste brutal qui exile Cordelia et condamne Edgar. Il est juste que cette tragédie se déroule alors sous le signe de la démence. Les âmes sont livrées aux démons et à leur sarabande. Pas moins de quatre fous, l'un par métier, l'autre par volonté, les deux derniers par tourment : quatre corps désordon-

nés, quatre visages indicibles d'une même
condition.

L'échelle même du corps humain est insuf-
fisante. Le masque et les cothurnes, le maquil-
lage qui réduit et accuse le visage dans ses
éléments essentiels, le costume qui exagère et
simplifie, cet univers sacrifie tout à l'apparence, et n'est fait que pour l'œil. Par un
miracle absurde, c'est le corps qui apporte
encore la connaissance. Je ne comprendrais
jamais bien Iago que si je le jouais. J'ai beau
l'entendre, je ne le saisis qu'au moment où je
le vois. Du personnage absurde, l'acteur a par
suite la monotonie, cette silhouette unique,
entêtante, à la fois étrange et familière qu'il
promène à travers tous ses héros. Là encore la
grande œuvre théâtrale sert cette unité de
ton[1]. C'est là que l'acteur se contredit : le
même et pourtant si divers, tant d'âmes résu-
mées par un seul corps. Mais c'est la contradiction absurde elle-même, cet individu qui
veut tout atteindre et tout vivre, cette vaine
tentative, cet entêtement sans portée. Ce qui
se contredit toujours s'unit pourtant en lui. Il
est à cet endroit où le corps et l'esprit se
rejoignent et se serrent, où le second lassé de
ses échecs se retourne vers son plus fidèle

---

1. Je pense ici à l'Alceste de Molière. Tout est si simple,
si évident et si grossier. Alceste contre Philinte, Célimène
contre Elianthe, tout le sujet dans l'absurde conséquence
d'un caractère poussé vers sa fin, et le vers lui-même, le
« mauvais vers », à peine scandé comme la monotonie du
caractère.

allié. « Et bénis soient ceux, dit Hamlet, dont le sang et le jugement sont si curieusement mêlés qu'ils ne sont pas flûte où le doigt de la fortune fait chanter le trou qui lui plaît. »

Comment l'Eglise n'eût-elle pas condamné dans l'acteur pareil exercice? Elle répudiait dans cet art la multiplication hérétique des âmes, la débauche d'émotions, la prétention scandaleuse d'un esprit qui se refuse à ne vivre qu'un destin et se précipite dans toutes les intempérances. Elle proscrivait en eux ce goût du présent et ce triomphe de Protée qui sont la négation de tout ce qu'elle enseigne. L'éternité n'est pas un jeu. Un esprit assez insensé pour lui préférer une comédie a perdu son salut. Entre « partout » et « toujours », il n'y a pas de compromis. De là que ce métier si déprécié puisse donner lieu à un conflit spirituel démesuré. « Ce qui importe, dit Nietzsche, ce n'est pas la vie éternelle, c'est l'éternelle vivacité. » Tout le drame est en effet dans ce choix.

Adrienne Lecouvreur, sur son lit de mort, voulut bien se confesser et communier, mais refusa d'abjurer sa profession. Elle perdit par là le bénéfice de la confession. Qu'était-ce donc en effet, sinon prendre contre Dieu le parti de sa passion profonde? Et cette femme à l'agonie, refusant dans les larmes de renier ce qu'elle appelait son art, témoignait d'une grandeur que, devant la rampe, elle n'atteignit jamais. Ce fut son plus beau rôle et le plus difficile à tenir. Choisir entre le ciel et une dérisoire fidélité, se préférer à l'éternité ou s'abîmer en Dieu, c'est la tragédie séculaire où il faut tenir sa place.

Les comédiens de l'époque se savaient excommuniés. Entrer dans la profession, c'était choisir l'Enfer. Et l'Eglise discernait en eux ses pires ennemis. Quelques littérateurs s'indignent : « Eh quoi, refuser à Molière les derniers secours! » Mais cela était juste et surtout pour celui-là qui mourut en scène et acheva sous le fard une vie tout entière vouée à la dispersion. On invoque à son propos le génie qui excuse tout. Mais le génie n'excuse rien, justement parce qu'il s'y refuse.

L'acteur savait alors quelle punition lui était promise. Mais quel sens pouvaient avoir de si vagues menaces au prix du châtiment dernier que lui réservait la vie même? C'était celui-là qu'il éprouvait par avance et acceptait dans son entier. Pour l'acteur comme pour l'homme absurde, une mort prématurée est irréparable. Rien ne peut compenser la somme des visages et des siècles qu'il eût, sans cela, parcourus. Mais de toute façon, il s'agit de mourir. Car l'acteur est sans doute partout, mais le temps l'entraîne aussi et fait avec lui son effet.

Il suffit d'un peu d'imagination pour sentir alors ce que signifie un destin d'acteur. C'est dans le temps qu'il compose et énumère ses personnages. C'est dans le temps aussi qu'il apprend à les dominer. Plus il a vécu de vies différentes et mieux il se sépare d'elles. Le temps vient où il faut mourir à la scène et au monde. Ce qu'il a vécu est en face de lui. Il voit clair. Il sent ce que cette aventure a de déchirant et d'irremplaçable. Il sait et peut maintenant mourir. Il y a des maisons de retraite pour vieux comédiens.

LA CONQUÊTE

« Non, dit le conquérant, ne croyez pas que pour aimer l'action, il m'ait fallu désapprendre à penser. Je puis parfaitement au contraire définir ce que je crois. Car je le crois avec force et je le vois d'une vue certaine et claire. Méfiez-vous de ceux qui disent : « Ceci, je le sais trop pour pouvoir l'exprimer. » Car s'ils ne le peuvent, c'est qu'ils ne le savent pas ou que, par paresse, ils se sont arrêtés à l'écorce.

Je n'ai pas beaucoup d'opinions. A la fin d'une vie, l'homme s'aperçoit qu'il a passé des années à s'assurer d'une seule vérité. Mais une seule, si elle est évidente, suffit à la conduite d'une existence. Pour moi, j'ai décidément quelque chose à dire sur l'individu. C'est avec rudesse qu'on doit en parler et, s'il le faut, avec le mépris convenable.

Un homme est plus un homme par les choses qu'il tait que par celles qu'il dit. Il y en a beaucoup que je vais taire. Mais je crois fermement que tous ceux qui ont jugé de l'individu l'ont fait avec beaucoup moins d'expérience que nous pour fonder leur jugement. L'intelligence, l'émouvante intelligence a pressenti peut-être ce qu'il fallait constater. Mais l'époque, ses ruines et son sang nous comblent d'évidences. Il était possible à des peuples anciens, et même aux plus récents jusqu'à notre ère machinale, de mettre en balance les vertus de la société et de l'individu, de chercher lequel devait servir l'autre. Cela était possible d'abord en vertu de cette aberration tenace au cœur de l'homme et selon quoi les êtres ont été mis au monde pour servir ou être servis. Cela était encore possible parce que ni la société ni l'individu n'avaient encore montré tout leur savoir-faire.

J'ai vu de bons esprits s'émerveiller des chefs-d'œuvre des peintres hollandais nés au cœur des sanglantes guerres de Flandre, s'émouvoir aux oraisons des mystiques silésiens élevées au sein de l'affreuse guerre de Trente Ans. Les valeurs éternelles surnagent à leurs yeux étonnés au-dessus des tumultes séculiers. Mais le temps depuis a marché. Les peintres d'aujourd'hui sont privés de cette sérénité. Même s'ils ont au fond le cœur qu'il faut au créateur, je veux dire un cœur sec, il n'est d'aucun emploi, car tout le monde et le saint lui-même est mobilisé. Voilà peut-être ce que j'ai senti le plus profondément. A chaque forme avortée dans les tranchées, à chaque trait, métaphore ou prière, broyé sous le fer, l'éternel perd une partie. Conscient que je ne

puis me séparer de mon temps, j'ai décidé de
faire corps avec lui. C'est pourquoi je ne fais
tant de cas de l'individu que parce qu'il m'apparaît dérisoire et humilié. Sachant qu'il n'est
pas de causes victorieuses, j'ai du goût pour
les causes perdues : elles demandent une âme
entière, égale à sa défaite comme à ses victoi-
res passagères. Pour qui se sent solidaire du
destin de ce monde, le choc des civilisations a
quelque chose d'angoissant. J'ai fait mienne
cette angoisse en même temps que j'ai voulu y
jouer ma partie. Entre l'histoire et l'éternel,
j'ai choisi l'histoire parce que j'aime les certitudes. D'elle du moins, je suis certain et comment nier cette force qui m'écrase ?

Il vient toujours un temps où il faut choisir
entre la contemplation et l'action. Cela s'appelle devenir un homme. Ces déchirements
sont affreux. Mais pour un cœur fier, il ne peut
y avoir de milieu. Il y a Dieu ou le temps, cette
croix ou cette épée. Ce monde a un sens plus
haut qui surpasse ses agitations ou rien n'est
vrai que ces agitations. Il faut vivre avec le
temps et mourir avec lui ou s'y soustraire
pour une plus grande vie. Je sais qu'on peut
transiger et qu'on peut vivre dans le siècle et
croire à l'éternel. Cela s'appelle accepter. Mais
je répugne à ce terme et je veux tout ou rien.
Si je choisis l'action, ne croyez pas que la
contemplation me soit comme une terre
inconnue. Mais elle ne peut tout me donner, et
privé de l'éternel, je veux m'allier au temps. Je
ne veux faire tenir dans mon compte ni nos-

talgie ni amertume et je veux seulement y voir
clair. Je vous le dis, demain vous serez mobilisé. Pour vous et pour moi, cela est une
libération. L'individu ne peut rien et pourtant
il peut tout. Dans cette merveilleuse disponibilité vous comprenez pourquoi je l'exalte et
l'écrase à la fois. C'est le monde qui le broie et
c'est moi qui le libère. Je le fournis de tous ses
droits.

Les conquérants savent que l'action est en
elle-même inutile. Il n'y a qu'une action utile,
celle qui referait l'homme et la terre. Je ne
referai jamais les hommes. Mais il faut faire
« comme si ». Car le chemin de la lutte me fait
rencontrer la chair. Même humiliée, la chair
est ma seule certitude. Je ne puis vivre que
d'elle. La créature est ma patrie. Voilà pourquoi j'ai choisi cet effort absurde et sans
portée. Voilà pourquoi je suis du côté de la
lutte. L'époque s'y prête, je l'ai dit. Jusqu'ici la
grandeur d'un conquérant était géographique.
Elle se mesurait à l'étendue des territoires
vaincus. Ce n'est pas pour rien que le mot a
changé de sens et ne désigne plus le général
vainqueur. La grandeur a changé de camp.
Elle est dans la protestation et le sacrifice sans
avenir. Là encore, ce n'est point par goût de la
défaite. La victoire serait souhaitable. Mais il
n'y a qu'une victoire et elle est éternelle. C'est
celle que je n'aurai jamais. Voilà où je bute et
je m'accroche. Une révolution s'accomplit tou-

jours contre les dieux, à commencer par celle de Prométhée, le premier des conquérants modernes. C'est une revendication de l'homme contre son destin : la revendication du pauvre n'est qu'un prétexte. Mais je ne puis saisir cet esprit que dans son acte historique et c'est là que je le rejoins. Ne croyez pas cependant que je m'y complaise : en face de la contradiction essentielle, je soutiens mon humaine contradiction. J'installe ma lucidité au milieu de ce qui la nie. J'exalte l'homme devant ce qui l'écrase et ma liberté, ma révolte et ma passion se rejoignent alors dans cette tension, cette clairvoyance et cette répétition démesurée.

Oui, l'homme est sa propre fin. Et il est sa seule fin. S'il veut être quelque chose, c'est dans cette vie. Maintenant, je le sais de reste. Les conquérants parlent quelquefois de vaincre et surmonter. Mais c'est toujours « se surmonter » qu'ils entendent. Vous savez bien ce que cela veut dire. Tout homme s'est senti l'égal d'un dieu à certains moments. C'est ainsi du moins qu'on le dit. Mais cela vient de ce que, dans un éclair, il a senti l'étonnante grandeur de l'esprit humain. Les conquérants sont seulement ceux d'entre les hommes qui sentent assez leur force pour être sûrs de vivre constamment à ces hauteurs et dans la pleine conscience de cette grandeur. C'est une question d'arithmétique, de plus ou de moins. Les conquérants peuvent le plus. Mais ils ne peuvent pas plus que l'homme lui-même, quand il le veut. C'est pourquoi ils ne quittent jamais le creuset humain, plongeant au plus brûlant dans l'âme des révolutions.

Ils y trouvent la créature mutilée, mais ils y rencontrent aussi les seules valeurs qu'ils aiment et qu'ils admirent, l'homme et son silence. C'est à la fois leur dénuement et leur richesse. Il n'y a qu'un seul luxe pour eux et c'est celui des relations humaines. Comment ne pas comprendre que dans cet univers vulnérable, tout ce qui est humain et n'est que cela prend un sens plus brûlant? Visages tendus, fraternité menacée, amitié si forte et si pudique des hommes entre eux, ce sont les vraies richesses puisqu'elles sont périssables. C'est au milieu d'elles que l'esprit sent le mieux ses pouvoirs et ses limites. C'est-à-dire son efficacité. Quelques-uns ont parlé de génie. Mais le génie, c'est bien vite dit, je préfère l'intelligence. Il faut dire qu'elle peut être alors magnifique. Elle éclaire ce désert et le domine. Elle connaît ses servitudes et les illustre. Elle mourra en même temps que ce corps. Mais le savoir, voilà sa liberté.

Nous ne l'ignorons pas, toutes les Eglises sont contre nous. Un cœur si tendu se dérobe à l'éternel et toutes les Eglises, divines ou politiques, prétendent à l'éternel. Le bonheur et le courage, le salaire ou la justice, sont pour elle des fins secondaires. C'est une doctrine qu'elles apportent et il lui faut y souscrire.

Mais je n'ai rien à faire des idées ou de l'éternel. Les vérités qui sont à ma mesure, la main peut les toucher. Je ne puis me séparer d'elles. Voilà pourquoi vous ne pouvez rien fonder sur moi : rien ne dure du conquérant et pas même ses doctrines.

Au bout de tout cela, malgré tout, est la mort. Nous le savons. Nous savons aussi qu'elle termine tout. Voilà pourquoi ces cimetières qui couvrent l'Europe, et qui obsèdent certains d'entre nous, sont hideux. On n'embellit que ce qu'on aime et la mort nous répugne et nous lasse. Elle aussi est à conquérir. Le dernier Carrara, prisonnier dans Padoue vidée par la peste, assiégée par les Vénitiens, parcourait en hurlant les salles de son palais désert : il appelait le diable et lui demandait la mort. C'était une façon de la surmonter. Et c'est encore une marque de courage propre à l'Occident que d'avoir rendu si affreux les lieux où la mort se croit honorée. Dans l'univers du révolté, la mort exalte l'injustice. Elle est le suprême abus.

D'autres, sans transiger non plus, ont choisi l'éternel et dénoncé l'illusion de ce monde. Leurs cimetières sourient au milieu d'un peuple de fleurs et d'oiseaux. Cela convient au conquérant et lui donne l'image claire de ce qu'il a repoussé. Il a choisi au contraire l'entourage de fer noir ou la fosse anonyme. Les meilleurs parmi les hommes de l'éternel se sentent pris quelquefois d'un effroi plein de considération et de pitié devant des esprits

qui peuvent vivre avec une pareille image de
leur mort. Mais pourtant ces esprits en tirent
leur force et leur justification. Notre destin est
en face de nous et c'est lui que nous provo-
quons. Moins par orgueil que par conscience
de notre condition sans portée. Nous aussi,
nous avons parfois pitié de nous-mêmes. C'est
la seule compassion qui nous semble acceptable : un sentiment que peut-être vous ne
comprenez guère et qui vous semble peu viril.
Pourtant ce sont les plus audacieux d'entre
nous qui l'éprouvent. Mais nous appelons
virils les lucides et nous ne voulons pas d'une
force qui se sépare de la clairvoyance.

Encore une fois ce ne sont pas des morales que ces images proposent et elles n'engagent pas de jugements : ce sont des dessins. Ils figurent seulement un style de vie. L'amant, le comédien ou l'aventurier jouent l'absurde. Mais aussi bien, s'ils le veulent, le chaste, le fonctionnaire ou le président de la république. Il suffit de savoir et de ne rien masquer. Dans les musées italiens, on trouve quelquefois de petits écrans peints que le prêtre tenait devant les visages des condamnés pour leur cacher l'échafaud. Le saut sous toutes ses formes, la précipitation dans le divin ou l'éternel, l'abandon aux illusions du quotidien ou de l'idée, tous ces écrans cachent l'absurde. Mais il y a des fonctionnaires sans écran et ce sont ceux dont je veux parler.

J'ai choisi les plus extrêmes. A ce degré, l'absurde leur donne un pouvoir royal. Il est vrai que ces princes sont sans royaume. Mais ils ont cet avantage sur d'autres qu'ils savent que toutes les royautés sont illusoires. Ils

savent, voilà toute leur grandeur, et c'est en
vain qu'on veut parler à leur propos de malheur caché ou des cendres de la désillusion.
Etre privé d'espoir, ce n'est pas désespérer.
Les flammes de la terre valent bien les parfums célestes. Ni moi ni personne ne pouvons
ici les juger. Ils ne cherchent pas à être
meilleurs, ils tentent d'être conséquents. Si le
mot sage s'applique à l'homme qui vit de ce
qu'il a, sans spéculer sur ce qu'il n'a pas, alors
ceux-là sont des sages. L'un d'eux, conquérant,
mais parmi l'esprit, Don Juan mais de la
connaissance, comédien mais de l'intelligence,
le sait mieux que quiconque : « On ne mérite
nullement un privilège sur terre et dans le ciel
lorsqu'on a mené sa chère petite douceur de
mouton jusqu'à la perfection : on n'en continue pas moins à être au meilleur cas un cher
petit mouton ridicule avec des cornes et rien
de plus – en admettant même que l'on ne
crève pas de vanité et que l'on ne provoque
pas de scandale par ses attitudes de juges. »

Il fallait en tout cas restituer au raisonnement absurde des visages plus chaleureux.
L'imagination peut en ajouter beaucoup d'autres, rivés au temps et à l'exil, qui savent aussi
vivre à la mesure d'un univers sans avenir et
sans faiblesse. Ce monde absurde et sans dieu
se peuple alors d'hommes qui pensent clair et
n'espèrent plus. Et je n'ai pas encore parlé du
plus absurde des personnages qui est le créateur.

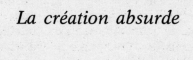

La création absurde

PHILOSOPHIE ET ROMAN

Toutes ces vies maintenues dans l'air avare de l'absurde ne sauraient se soutenir sans quelque pensée profonde et constante qui les anime de sa force. Ici même ce ne peut être qu'un singulier sentiment de fidélité. On a vu des hommes conscients accomplir leur tâche au milieu des plus stupides des guerres sans se croire en contradiction. C'est qu'il s'agissait de ne rien éluder. Il y a ainsi un bonheur métaphysique à soutenir l'absurdité du monde. La conquête ou le jeu, l'amour innombrable, la révolte absurde, ce sont des hommages que l'homme rend à sa dignité dans une campagne où il est d'avance vaincu.

Il s'agit seulement d'être fidèle à la règle du combat. Cette pensée peut suffire à nourrir un esprit : elle a soutenu et soutient des civilisations entières. On ne nie pas la guerre. Il faut en mourir ou en vivre. Ainsi de l'absurde : il s'agit de respirer avec lui; de reconnaître ses leçons et de retrouver leur chair. A cet égard, la joie absurde par excellence, c'est la création. « L'art et rien que l'art, dit Nietzsche, nous avons l'art pour ne point mourir de la vérité. »

Dans l'expérience que je tente de décrire et de faire sentir sur plusieurs modes, il est certain qu'un tourment surgit là où en meurt un autre. La recherche puérile de l'oubli, l'appel de la satisfaction sont maintenant sans écho. Mais la tension constante qui maintient l'homme en face du monde, le délire ordonné qui le pousse à tout accueillir lui laissent une autre fièvre. Dans cet univers, l'œuvre est alors la chance unique de maintenir sa conscience et d'en fixer les aventures. Créer, c'est vivre deux fois. La recherche tâtonnante et anxieuse d'un Proust, sa méticuleuse collection de fleurs, de tapisseries et d'angoisses ne signifient rien d'autre. En même temps, elle n'a plus de portée que la création continue et inappréciable à quoi se livrent, tous les jours de leur vie, le comédien, le conquérant et tous les hommes absurdes. Tous s'essaient à mimer, à répéter et à recréer la réalité qui est la leur. Nous finissons toujours par avoir le visage de nos vérités. L'existence tout entière, pour un homme détourné de l'éternel, n'est qu'un mime démesuré sous le masque de l'absurde. La création, c'est le grand mime.

Ces hommes savent d'abord, et puis tout leur effort est de parcourir, d'agrandir et d'enrichir l'île sans avenir qu'ils viennent d'aborder. Mais il faut d'abord savoir. Car la découverte absurde coïncide avec un temps d'arrêt où s'élaborent et se légitiment les passions futures. Même les hommes sans évangile ont leur mont des Oliviers. Et sur le leur non plus, il ne faut pas s'endormir. Pour l'homme absurde, il ne s'agit plus d'expliquer et de résoudre, mais d'éprouver et de décrire. Tout commence par l'indifférence clairvoyante.

Décrire, telle est la dernière ambition d'une pensée absurde. La science elle aussi, arrivée au terme de ses paradoxes, cesse de proposer et s'arrête à contempler et dessiner le paysage toujours vierge des phénomènes. Le cœur apprend ainsi que cette émotion qui nous transporte devant les visages du monde ne nous vient pas de sa profondeur mais de leur diversité. L'explication est vaine, mais la sensation reste et, avec elle, les appels incessants d'un univers inépuisable en quantité. On comprend ici la place de l'œuvre d'art.

Elle marque à la fois la mort d'une expérience et sa multiplication. Elle est comme une répétition monotone et passionnée des thèmes déjà orchestrés par le monde : le corps, inépuisable image au fronton des temples, les formes ou les couleurs, le nombre ou la détresse. Il n'est donc pas indifférent pour terminer de retrouver les principaux thèmes de cet essai dans l'univers magnifique et puéril du créateur. On aurait tort d'y voir un symbole et de croire que l'œuvre d'art puisse être considérée enfin comme un refuge à l'absurde. Elle est elle-même un phénomène absurde et il s'agit seulement de sa description. Elle n'offre pas une issue au mal de l'esprit. Elle est au contraire un des signes de ce mal qui le répercute dans toute la pensée d'un homme. Mais pour la première fois, elle fait sortir l'esprit de lui-même et le place en face d'autrui, non pour qu'il s'y perde, mais pour lui montrer d'un doigt précis la voie sans issue où tous sont engagés. Dans le temps du raisonnement absurde, la création suit l'indifférence et la découverte. Elle marque le point d'où les passions absurdes s'élancent, et où le raisonnement s'arrête. Sa place dans cet essai se justifie ainsi.

Il suffira de mettre à jour quelques thèmes communs au créateur et au penseur pour que nous retrouvions dans l'œuvre d'art toutes les contradictions de la pensée engagée dans l'absurde. Ce sont moins en effet les conclusions identiques qui font les intelligences parentes, que les contradictions qui leur sont communes. Ainsi de la pensée et de la création. A peine ai-je besoin de dire que c'est un même tourment qui pousse l'homme à ces attitudes. C'est par là qu'au départ elles coïncident. Mais parmi toutes les pensées qui partent de l'absurde, j'ai vu que bien peu s'y maintenaient. Et c'est à leurs écarts ou leurs infidélités que j'ai le mieux mesuré ce qui n'appartenait qu'à l'absurde. Parallèlement, je dois me demander : une œuvre absurde est-elle possible ?

On ne saurait trop insister sur l'arbitraire de l'ancienne opposition entre art et philosophie. Si on veut l'entendre dans un sens trop précis, à coup sûr elle est fausse. Si l'on veut seulement dire que ces deux disciplines ont chacune leur climat particulier, cela sans doute est vrai, mais dans le vague. La seule argumentation acceptable résidait dans la contradiction soulevée entre le philosophe enfermé *au milieu* de son système et l'artiste placé *devant* son œuvre. Mais ceci valait pour une certaine forme d'art et de philosophie que nous tenons ici pour secondaire. L'idée d'un art détaché de son créateur n'est pas seulement démodée. Elle est fausse. Par opposition à l'artiste, on signale qu'aucun philosophe n'a jamais fait plusieurs systèmes. Mais cela est vrai dans la mesure même où aucun artiste n'a jamais exprimé plus d'une seule chose sous des visages différents. La perfection instantanée de l'art, la nécessité de son renouvellement, cela n'est vrai que par préjugé. Car l'œuvre d'art aussi est une construction et chacun sait combien les grands créateurs peuvent être monotones. L'artiste au même titre que le penseur s'engage et se devient dans son œuvre. Cette osmose soulève le plus important des problèmes esthétiques. Au surplus, rien n'est plus vain que ces distinctions selon les méthodes et les objets pour qui se persuade de l'unité de but de l'esprit. Il n'y a pas de frontières entre les disciplines que l'homme se propose pour comprendre et aimer. Elles s'interpénètrent et la même angoisse les confond.

Cela est nécessaire à dire pour commencer. Pour que soit possible une œuvre absurde, il faut que la pensée sous sa forme la plus lucide y soit mêlée. Mais il faut en même temps qu'elle n'y paraisse point sinon comme l'intelligence qui ordonne. Ce paradoxe s'explique selon l'absurde. L'œuvre d'art naît du renoncement de l'intelligence à raisonner le concret. Elle marque le triomphe du charnel. C'est la pensée lucide qui la provoque, mais dans cet acte même elle se renonce. Ele ne cédera pas à la tentation de surajouter au décrit un sens plus profond qu'elle sait illégitime. L'œuvre d'art incarne un drame de l'intelligence, mais elle n'en fait la preuve qu'indirectement. L'œuvre absurde exige un artiste conscient de ces limites et un art où le concret ne signifie rien de plus que lui-même. Elle ne peut être la fin, le sens et la consolation d'une vie. Créer ou ne pas créer, cela ne change rien. Le créateur absurde ne tient pas à son œuvre. Il pourrait y renoncer; il y renonce quelquefois. Il suffit d'une Abyssinie.

On peut voir là en même temps une règle d'esthétique. La véritable œuvre d'art est toujours à la mesure humaine. Elle est essentiellement celle qui dit « moins ». Il y a un certain rapport entre l'expérience globale d'un artiste et l'œuvre qui la reflète, entre *Wilhelm Meister* et la maturité de Goethe. Ce rapport est mauvais lorsque l'œuvre prétend donner toute l'expérience dans le papier à dentelles d'une littérature d'explication. Ce rapport est bon lorsque l'œuvre n'est qu'un morceau taillé dans l'expérience, une facette du diamant où

l'éclat intérieur se résume sans se limiter.
Dans le premier cas, il y a surcharge et prétention à l'éternel. Dans le second, œuvre
féconde à cause de tout un sous-entendu d'expérience dont on devine la richesse. Le problème pour l'artiste absurde est d'acquérir ce
savoir-vivre qui dépasse le savoir-faire. Pour
finir, le grand artiste sous ce climat est avant
tout un grand vivant, étant compris que vivre
ici c'est aussi bien éprouver que réfléchir.
L'œuvre incarne donc un drame intellectuel.
L'œuvre absurde illustre le renoncement de la
pensée à ses prestiges et sa résignation à
n'être plus que l'intelligence qui met en œuvre
les apparences et couvre d'images ce qui n'a
pas de raison. Si le monde était clair, l'art ne
serait pas.

Je ne parle pas ici des arts de la forme ou de
la couleur où seule règne la description dans
sa splendide modestie[1]. L'expression commence où la pensée finit. Ces adolescents aux
yeux vides qui peuplent les temples et les
musées, on a mis leur philosophie en gestes.
Pour un homme absurde, elle est plus enseigne
gnante que toutes les bibliothèques. Sous un
autre aspect, il en est de même de la musique.
Si un art est privé d'enseignement, c'est bien
celui-là. Il s'apparente trop aux mathématiques pour ne pas leur avoir emprunté leur

---

1. Il est curieux de voir que la plus intellectuelle des
peintures, celle qui cherche à réduire la réalité à ses
éléments essentiels, n'est plus à son terme dernier qu'une
joie des yeux. Elle n'a gardé du monde que la couleur.

gratuité. Ce jeu de l'esprit avec lui-même selon des lois convenues et mesurées se déroule dans l'espace sonore qui est le nôtre et au-delà duquel les vibrations se rencontrent cependant en un univers inhumain. Il n'est point de sensation plus pure. Ces exemples sont trop faciles. L'homme absurde reconnaît pour siennes ces harmonies et ces formes.

Mais je voudrais parler ici d'une œuvre où la tentation d'expliquer demeure la plus grande, où l'illusion se propose d'elle-même, où la conclusion est presque immanquable. Je veux dire la création romanesque. Je me demanderai si l'absurde peut s'y maintenir.

Penser, c'est avant tout vouloir créer un monde (ou limiter le sien, ce qui revient au même). C'est partir du désaccord fondamental qui sépare l'homme de son expérience pour trouver un terrain d'entente selon sa nostalgie, un univers corseté de raisons ou éclairé d'analogies qui permette de résoudre le divorce insupportable. Le philosophe, même s'il est Kant, est créateur. Il a ses personnages, ses symboles et son action secrète. Il a ses dénouements. A l'inverse, le pas pris par le roman sur la poésie et l'essai figure seulement, et malgré les apparences, une plus grande intellectualisation de l'art. Entendons-nous, il s'agit surtout des plus grands. La fécondité et la grandeur d'un genre se mesurent souvent au déchet qui s'y trouve. Le nombre de mauvais romans ne doit pas faire oublier la grandeur des meilleurs. Ceux-ci justement portent avec eux leur univers. Le roman a sa logique, ses raisonnements, son intuition et ses postulats. Il a aussi ses exigences de clarté[1].

L'opposition classique dont je parlais plus haut se légitime moins encore dans ce cas particulier. Elle valait au temps où il était facile de séparer la philosophie de son auteur. Aujourd'hui, où la pensée ne prétend plus à l'universel, où sa meilleure histoire serait celle de ses repentirs, nous savons que le système, lorsqu'il est valable, ne se sépare pas de son auteur. *L'Ethique* elle-même, sous l'un de ses aspects, n'est qu'une longue et rigoureuse confidence. La pensée abstraite rejoint enfin son support de chair. Et de même, les jeux romanesques du corps et des passions s'ordonnent un peu plus suivant les exigences d'une vision du monde. On ne raconte plus « d'histoires », on crée son univers. Les grands romanciers sont des romanciers philosophes, c'est-à-dire le contraire d'écrivains à thèse. Ainsi Balzac, Sade, Melville, Stendhal, Dos-

1. Qu'on y réfléchisse : cela explique les pires romans. Presque tout le monde se croit capable de penser et, dans une certaine mesure, bien ou mal, pense effectivement. Très peu, au contraire, peuvent s'imaginer poète ou forgeur de phrases. Mais à partir du moment où la pensée a prévalu sur le style, la foule a envahi le roman.

Cela n'est pas un si grand mal qu'on le dit. Les meilleurs sont conduits à plus d'exigences envers eux-mêmes. Pour ceux qui succombent, ils ne méritaient pas de survivre.

toïevski, Proust, Malraux, Kafka, pour n'en
citer que quelques-uns.

Mais justement le choix qu'ils ont fait
d'écrire en images plutôt qu'en raisonnements
est révélateur d'une certaine pensée qui leur
est commune, persuadée de l'inutilité de tout
principe d'explication et convaincue du message enseignant de l'apparence sensible. Ils
considèrent l'œuvre à la fois comme une fin et
un commencement. Elle est l'aboutissement
d'une philosophie souvent inexprimée, son
illustration et son couronnement. Mais elle
n'est complète que par les sous-entendus de
cette philosophie. Elle légitime enfin cette
variante d'un thème ancien qu'un peu de
pensée éloigne de la vie, mais que beaucoup y
ramène. Incapable de sublimer le réel, la
pensée s'arrête à le mimer. Le roman dont il
est question est l'instrument de cette connaissance à la fois relative et inépuisable, si sem-
blable à celle de l'amour. De l'amour, la création romanesque a l'émerveillement initial et
la rumination féconde.

C'est du moins les prestiges que je lui reconnais au départ. Mais je les reconnaissais aussi
à ces princes de la pensée humiliée dont j'ai
pu contempler ensuite les suicides. Ce qui
m'intéresse justement, c'est de connaître et de
décrire la force qui les ramène vers la voie
commune de l'illusion. La même méthode me
servira donc ici. De l'avoir déjà employée me

permettra de raccourcir mon raisonnement et de le résumer sans tarder sur un exemple précis. Je veux savoir si, acceptant de vivre sans appel, on peut consentir aussi à travailler et créer sans appel et quelle est la route qui mène à ces libertés. Je veux délivrer mon univers de ses fantômes et le peupler seulement des vérités de chair dont je ne peux nier la présence. Je puis faire œuvre absurde, choisir l'attitude créatrice plutôt qu'une autre. Mais une attitude absurde pour demeurer telle doit rester consciente de sa gratuité. Ainsi de l'œuvre. Si les commandements de l'absurde n'y sont pas respectés, si elle n'illustre pas le divorce et la révolte, si elle sacrifie aux illusions et suscite l'espoir, elle n'est plus gratuite. Je ne puis plus me détacher d'elle. Ma vie peut y trouver un sens : cela est dérisoire. Elle n'est plus cet exercice de détachement et de passion qui consomme la splendeur et l'inutilité d'une vie d'homme.

Dans la création où la tentation d'expliquer est la plus forte, peut-on alors surmonter cette tentation? Dans le monde fictif où la conscience du monde réel est la plus forte, puis-je rester fidèle à l'absurde sans sacrifier au désir de conclure? Autant de questions à envisager dans un dernier effort. On a compris déjà ce qu'elles signifiaient. Ce sont les derniers scrupules d'une conscience qui craint d'abandonner son premier et difficile enseignement au prix d'une ultime illusion. Ce qui vaut pour la création, considérée comme *l'une* des attitu-

des possibles pour l'homme conscient de l'absurde, vaut pour tous les styles de vie qui
s'offrent à lui. Le conquérant ou l'acteur, le
créateur ou Don Juan peuvent oublier que
leur exercice de vivre ne saurait aller sans la
conscience de son caractère insensé. On s'ha-
bitue si vite. On veut gagner de l'argent pour
vivre heureux et tout l'effort et le meilleur
d'une vie se concentrent pour le gain de cet
argent. Le bonheur est oublié, le moyen pris
pour la fin. De même tout l'effort de ce
conquérant va dériver sur l'ambition qui
n'était qu'un chemin vers une plus grande vie.
Don Juan de son côté va consentir aussi à son
destin, se satisfaire de cette existence dont la
grandeur ne vaut que par la révolte. Pour l'un,
c'est la conscience, pour l'autre, la révolte,
dans les deux cas l'absurde a disparu. Il y a
tant d'espoir tenace dans le cœur humain. Les
hommes les plus dépouillés finissent quelquefois par consentir à l'illusion. Cette approbation dictée par le besoin de paix est le frère
intérieur du consentement existentiel. Il y a
ainsi des dieux de lumière et des idoles de
boue. Mais c'est le chemin moyen qui mène
aux visages de l'homme qu'il s'agit de trouver.

Jusqu'ici ce sont les échecs de l'exigence
absurde qui nous ont le mieux renseignés sur
ce qu'elle est. De même façon, il nous suffira
pour être avertis d'apercevoir que la création
romanesque peut offrir la même ambiguïté
que certaines philosophies. Je peux donc choi-

sir pour mon illustration une œuvre où tout
soit réuni qui marque la conscience de l'absurde, dont le départ soit clair et le climat
lucide. Ses conséquences nous instruiront. Si
l'absurde n'y est pas respecté, nous saurons
par quel biais l'illusion s'introduit. Un exemple précis, un thème, une fidélité de créateur,
suffiront alors. Il s'agit de la même analyse qui
a déjà été faite plus longuement.

J'examinerai un thème favori de Dostoïevski. J'aurais pu aussi bien étudier d'autres
œuvres[1]. Mais avec celle-ci, le problème est
traité directement, dans le sens de la grandeur
et de l'émotion, comme pour les pensées existentielles dont il a été question. Ce parallé-
lisme sert mon objet.

---

1. Celle de Malraux, par exemple. Mais il eût fallu
aborder en même temps le problème social qui en effet
ne peut être évité par la pensée absurde (encore qu'elle
puisse lui proposer plusieurs solutions, et fort différentes). Il faut cependant se limiter.

KIRILOV

Tous les héros de Dostoïevski s'interrogent
sur le sens de la vie. C'est en cela qu'ils sont
modernes : ils ne craignent pas le ridicule. Ce
qui distingue la sensibilité moderne de la
sensibilité classique, c'est que celle-ci se nourrit de problèmes moraux et celle-là de problèmes métaphysiques. Dans les romans de Dostoïevski, la question est posée avec une telle
intensité qu'elle ne peut engager que des
solutions extrêmes. L'existence est mensongère *ou* elle est éternelle. Si Dostoïevski se
contentait de cet examen, il serait philosophe.
Mais il illustre les conséquences que ces jeux
de l'esprit peuvent avoir dans une vie
d'homme et c'est en cela qu'il est artiste.
Parmi ces conséquences, c'est la dernière qui
le retient, celle que lui-même dans le *Journal
d'un Ecrivain* appelle suicide logique. Dans les
livraisons de décembre 1876, en effet, il imagine le raisonnement du « suicide logique ».
Persuadé que l'existence humaine est une par-
faite absurdité pour qui n'a pas la foi en

l'immortalité, le désespéré en arrive aux conclusions suivantes :

« Puisqu'à mes questions au sujet du bonheur, il m'est déclaré en réponse, par l'intermédiaire de ma conscience, que je ne puis être heureux autrement que dans cette harmonie avec le grand tout, que je ne conçois et ne serai jamais en état de concevoir, c'est évident...

« ... Puisqu'enfin dans cet ordre de choses, j'assume à la fois le rôle du plaignant et celui du répondant, de l'accusé et du juge, et puisque je trouve cette comédie de la part de la nature tout à fait stupide, et que même j'estime humiliant de ma part d'accepter de la jouer...

« En ma qualité indiscutable de plaignant et de répondant, de juge et d'accusé, je condamne cette nature qui, avec un si impudent sans-gêne, m'a fait naître pour souffrir – je la condamne à être anéantie avec moi. »

Il y a encore un peu d'humour dans cette position. Ce suicidé se tue parce que, sur le plan métaphysique, il est *vexé*. Dans un certain sens, il se venge. C'est la façon qu'il a de prouver qu'on ne « l'aura pas ». On sait cependant que le même thème s'incarne, mais avec la plus admirable ampleur, chez Kirilov, personnage des *Possédés*, partisan lui aussi du suicide logique. L'ingénieur Kirilov déclare quelque part qu'il veut s'ôter la vie parce que « c'est son idée ». On entend bien qu'il faut prendre le mot au sens propre. C'est pour une

idée, une pensée qu'il se prépare à la mort.
C'est le suicide supérieur. Progressivement,
tout le long de scènes où le masque de Kirilov
s'éclaire peu à peu, la pensée mortelle qui
l'anime nous est livrée. L'ingénieur, en effet,
reprend les raisonnements du *Journal*. Il sent
que Dieu est nécessaire et qu'il faut bien qu'il
existe. Mais il sait qu'il n'existe pas et qu'il ne
peut exister. « Comment ne comprends-tu pas,
s'écrie-t-il, que c'est là une raison suffisante
pour se tuer? » Cette attitude entraîne également chez lui quelques-unes des conséquences absurdes. Il accepte par indifférence de
laisser utiliser son suicide au profit d'une
cause qu'il méprise. « J'ai décidé cette nuit
que cela m'était égal. » Il prépare enfin son
geste dans un sentiment mêlé de révolte et de
liberté. « Je me tuerai pour affirmer mon
insubordination, ma nouvelle et terrible liberté. » Il ne s'agit plus de vengeance, mais de
révolte. Kirilov est donc un personnage
absurde – avec cette réserve essentielle cependant qu'il se tue. Mais lui-même explique cette
contradiction, et de telle sorte qu'il révèle en
même temps le secret absurde dans toute sa
pureté. Il ajoute en effet à sa logique mortelle
une ambition extraordinaire qui donne au
personnage toute sa perspective : il veut se
tuer pour devenir dieu.

Le raisonnement est d'une clarté classique.
Si Dieu n'existe pas, Kirilov est dieu. Si Dieu
n'existe pas, Kirilov doit se tuer. Kirilov doit
donc se tuer pour être dieu. Cette logique est

absurde, mais c'est ce qu'il faut. L'intéressant cependant est de donner un sens à cette divinité ramenée sur terre. Cela revient à éclairer la prémisse : « Si Dieu n'existe pas, je suis dieu », qui reste encore assez obscur. Il est important de remarquer d'abord que l'homme qui affiche cette prétention insensée est bien de ce monde. Il fait sa gymnastique tous les matins pour entretenir sa santé. Il s'émeut de la joie de Chatov retrouvant sa femme. Sur un papier qu'on trouve après sa mort, il veut dessiner une figure qui « leur » tire la langue. Il est puéril et colère, passionné, méthodique et sensible. Du surhomme il n'a que la logique et l'idée fixe, de l'homme tout le registre. C'est lui cependant qui parle tranquillement de sa divinité. Il n'est pas fou ou alors Dostoïevski l'est. Ce n'est donc pas une illusion de mégalomane qui l'agite. Et prendre les mots dans le sens propre serait, cette fois, ridicule.

Kirilov lui-même nous aide à mieux comprendre. Sur une question de Stavroguine, il précise qu'il ne parle pas d'un dieu-homme. On pourrait penser que c'est par souci de se distinguer du Christ. Mais il s'agit en réalité d'annexer celui-ci. Kirilov en effet imagine un moment que Jésus mourant *ne s'est pas retrouvé en paradis*. Il a connu alors que sa torture avait été inutile. « Les lois de la nature, dit l'ingénieur, ont fait vivre le Christ au milieu du mensonge et mourir pour un mensonge. » En ce sens seulement, Jésus incarne bien tout le drame humain. Il est l'homme-parfait, étant celui qui a réalisé la condition la plus absurde. Il n'est pas le Dieu-homme, mais l'homme-dieu. Et comme lui, chacun de nous peut être crucifié et dupé – l'est dans une certaine mesure.

La divinité dont il s'agit est donc toute terrestre. « J'ai cherché pendant trois ans, dit Kirilov, l'attribut de ma divinité et je l'ai trouvé. L'attribut de ma divinité, c'est l'indépendance. » On aperçoit désormais le sens de la prémisse kirilovienne : « Si Dieu n'existe pas, je suis dieu. » Devenir dieu, c'est seulement être libre sur cette terre, ne pas servir un être immortel. C'est surtout, bien entendu, tirer toutes les conséquences de cette douloureuse indépendance. Si Dieu existe, tout dépend de lui et nous ne pouvons rien contre sa volonté. S'il n'existe pas, tout dépend de nous. Pour Kirilov comme pour Nietzsche, tuer Dieu, c'est devenir dieu soi-même – c'est réaliser dès cette terre la vie éternelle dont parle l'Evangile[1].

Mais si ce crime métaphysique suffit à l'accomplissement de l'homme, pourquoi y ajouter le suicide ? Pourquoi se tuer, quitter ce monde après avoir conquis la liberté ? Cela est contradictoire. Kirilov le sait bien, qui ajoute : « Si tu sens cela, tu es un tzar et loin de te

---

1. « Stavroguine. – Vous croyez à la vie éternelle dans l'autre monde ? – Kirilov : – Non, mais à la vie éternelle dans celui-ci. »

tuer, tu vivras au comble de la gloire. » Mais les hommes ne le savent pas. Ils ne sentent pas « cela ». Comme au temps de Prométhée, ils nourrissent en eux les aveugles espoirs[1]. Ils ont besoin qu'on leur montre le chemin et ne peuvent se passer de la prédication. Kirilov doit donc se tuer par amour de l'humanité. Il doit montrer à ses frères une voie royale et difficile sur laquelle il sera le premier. C'est un suicide pédagogique. Kirilov se sacrifie donc. Mais s'il est crucifié, il ne sera pas dupé. Il reste homme-dieu, persuadé d'une mort sans avenir, pénétré de la mélancolie évangélique. « Moi, dit-il, je suis malheureux parce que je suis *obligé* d'affirmer ma liberté. » Mais lui mort, les hommes enfin éclairés, cette terre se peuplera de tzars et s'illuminera de la gloire humaine. Le coup de pistolet de Kirilov sera le signal de l'ultime révolution. Ainsi ce n'est pas le désespoir qui le pousse à la mort, mais l'amour du prochain pour lui-même. Avant de terminer dans le sang une indicible aventure spirituelle, Kirilov a un mot aussi vieux que la souffrance des hommes : « Tout est bien. »

Ce thème du suicide chez Dostoïevski est donc bien un thème absurde. Notons seulement avant d'aller plus loin que Kirilov rebondit dans d'autres personnages qui engagent eux-mêmes de nouveaux thèmes absurdes.

---

1. « L'homme n'a fait qu'inventer Dieu pour ne pas se tuer. Voilà le résumé de l'histoire universelle jusqu'à ce moment. »

Stavroguine et Ivan Karamazov font dans la vie pratique l'exercice des vérités absurdes. Ce sont eux que la mort de Kirilov libère. Ils s'essaient à être tzars. Stavroguine mène une vie « ironique », on sait assez laquelle. Il fait lever la haine autour de lui. Et pourtant, le mot-clé de ce personnage se trouve dans sa lettre d'adieu : « Je n'ai rien pu détester. » Il est tzar dans l'indifférence. Ivan l'est aussi en refusant d'abdiquer les pouvoirs royaux de l'esprit. A ceux qui, comme son frère, prouvent par leur vie qu'il faut s'humilier pour croire, il pourrait répondre que la condition est indigne. Son mot-clé, c'est le « Tout est permis », avec la nuance de tristesse qui convient. Bien entendu, comme Nietzsche, le plus célèbre des assassins de Dieu, il finit dans la folie. Mais c'est un risque à courir et devant ces fins tragiques, le mouvement essentiel de l'esprit absurde est de demander : « Qu'est-ce que cela prouve ? »

Ainsi les romans, comme le *Journal*, posent la question absurde. Ils instaurent la logique jusqu'à la mort, l'exaltation, la liberté « terrible », la gloire des tzars devenue humaine. Tout est bien, tout est permis et rien n'est détestable : ce sont des jugements absurdes. Mais quelle prodigieuse création que celle où ces êtres de feu et de glace nous semblent si familiers ! Le monde passionné de l'indifférence qui gronde en leur cœur ne nous semble en rien monstrueux. Nous y retrouvons nos angoisses quotidiennes. Et personne sans doute comme Dostoïevski n'a su donner au monde absurde des prestiges si proches et si torturants.

Pourtant quelle est sa conclusion? Deux citations montreront le renversement métaphysique complet qui mène l'écrivain à d'autres révélations. Le raisonnement du suicidé logique ayant provoqué quelques protestations des critiques, Dostoïevski dans les livraisons suivantes du *Journal* développe sa position et conclut ainsi : « Si la foi en l'immortalité est si nécessaire à l'être humain (que sans elle il en vienne à se tuer) c'est donc qu'elle est l'état normal de l'humanité. Puisqu'il en est ainsi, l'immortalité de l'âme humaine existe sans aucune doute. » D'autre part, dans les dernières pages de son dernier roman, au terme de ce gigantesque combat avec Dieu, des enfants demandent à Aliocha : « Karamazov, est-ce vrai ce que dit la religion, que nous ressusciterons d'entre les morts, que nous nous reverrons les uns et les autres ? » Et Aliocha répond : « Certes, nous nous reverrons, nous nous raconterons joyeusement tout ce qui s'est passé. »

Ainsi Kirilov, Stavroguine et Ivan sont vaincus. Les *Karamazov* répondent aux *Possédés*. Et il s'agit bien d'une conclusion. Le cas d'Aliocha n'est pas ambigu comme celui du prince Muichkine. Malade, ce dernier vit dans un perpétuel présent, nuancé de sourires et d'in-

différence et cet état bienheureux pourrait
être la vie éternelle dont parle le prince. Au
contraire, Aliocha le dit bien : « Nous nous
retrouverons. » Il n'est plus question de suicide et de folie. A quoi bon, pour qui est sûr de
l'immortalité et de ses joies? L'homme fait
l'échange de sa divinité contre le bonheur.
« Nous nous raconterons joyeusement tout ce
qui s'est passé. » Ainsi encore, le pistolet de
Kirilov a claqué quelque part en Russie, mais
le monde a continué de rouler ses aveugles
espoirs. Les hommes n'ont pas compris
« cela ».

Ce n'est donc pas un romancier absurde qui
nous parle, mais un romancier existentiel. Ici
encore le saut est émouvant, donne sa grandeur à l'art qui l'inspire. C'est une adhésion
touchante, pétrie de doutes, incertaine et
ardente. Parlant des *Karamazov*, Dostoïevski
écrivait : « La question principale qui sera
poursuivie dans toutes les parties de ce livre
est celle même dont j'ai souffert conscièm-
ment ou inconsciemment toute ma vie : l'existence de Dieu. » Il est difficile de croire qu'un
roman ait suffi à transformer en certitude
joyeuse la souffrance de toute une vie. Un
commentateur[1] le remarque à juste titre : Dostoïevski a partie liée avec Ivan — et les chapi-
tres affirmatifs des *Karamazov* lui ont
demandé trois mois d'efforts, tandis que ce
qu'il appelait « les blasphèmes » ont été com-

---

1. Boris de Schloezer.

posés en trois semaines, dans l'exaltation. Il n'est pas un de ses personnages qui ne porte cette écharde dans la chair, qui ne l'irrite ou qui n'y cherche un remède dans la sensation ou l'immortalité[1]. Restons en tout cas sur ce doute. Voici une œuvre où, dans un clair-obscur plus saisissant que la lumière du jour, nous pouvons saisir la lutte de l'homme contre ses espérances. Arrivé au terme, le créateur choisit contre ses personnages. Cette contradiction nous permet ainsi d'introduire une nuance. Ce n'est pas d'une œuvre absurde qu'il s'agit ici, mais d'une œuvre qui pose le problème absurde.

La réponse de Dostoïevski est l'humiliation, la « honte » selon Stavroguine. Une œuvre absurde au contraire ne fournit pas de réponse, voilà toute la différence. Notons-le bien pour terminer : ce qui contredit l'absurde dans cette œuvre, ce n'est pas son caractère chrétien, c'est l'annonce qu'elle fait de la vie future. On peut être chrétien et absurde. Il y a des exemples de chrétiens qui ne croient pas à la vie future. A propos de l'œuvre d'art, il serait donc possible de préciser une des directions de l'analyse absurde qu'on a pu pressentir dans les pages précédentes. Elle conduit à poser « l'absurdité de l'Evangile ». Elle éclaire cette idée, féconde en rebondissements, que les convictions n'empêchent pas l'incrédulité.

---

1. Remarque curieuse et pénétrante de Gide : Presque tous les héros de Dostoïevski sont polygames.

On voit bien au contraire que l'auteur des *Possédés*, familier de ces chemins, a pris pour finir une voie toute différente. La surprenante réponse du créateur à ses personnages, de Dostoïevski à Kirilov peut en effet se résumer ainsi : L'existence est mensongère *et* elle est éternelle.

LA CRÉATION SANS LENDEMAIN

J'aperçois donc ici que l'espoir ne peut être éludé pour toujours et qu'il peut assaillir ceux-là mêmes qui s'en voulaient délivrés. C'est l'intérêt que je trouve aux œuvres dont il a été question jusqu'ici. Je pourrais, au moins dans l'ordre de la création, dénombrer quelques œuvres vraiment absurdes[1]. Mais il faut un commencement à tout. L'objet de cette recherche, c'est une certaine fidélité. L'Eglise n'a été si dure pour les hérétiques que parce qu'elle estimait qu'il n'est pas de pire ennemi qu'un enfant égaré. Mais l'histoire des audaces gnostiques et la persistance des courants manichéens a plus fait, pour la construction du dogme orthodoxe, que toutes les prières. Toutes proportions gardées, il en est de même pour l'absurde. On reconnaît sa voie en découvrant les chemins qui s'en éloignent. Au terme même du raisonnement absurde, dans l'une des attitudes dictées par sa logique, il n'est pas

1. Le *Moby Dick* de Melville par exemple.

indifférent de retrouver l'espoir introduit encore sous l'un de ses visages les plus pathétiques. Cela montre la difficulté de l'ascèse absurde. Cela montre surtout la nécessité d'une conscience maintenue sans cesse et rejoint le cadre général de cet essai.

Mais s'il n'est pas encore question de dénombrer les œuvres absurdes, on peut conclure au moins sur l'attitude créatrice, l'une de celles qui peuvent compléter l'existence absurde. L'art ne peut être si bien servi que par une pensée négative. Ses démarches obscures et humiliées sont aussi nécessaires à l'intelligence d'une grande œuvre que le noir l'est au blanc. Travailler et créer « pour rien », sculpter dans l'argile, savoir que sa création n'a pas d'avenir, voir son œuvre détruite en un jour en étant conscient que, profondément, cela n'a pas plus d'importance que de bâtir pour des siècles, c'est la sagesse difficile que la pensée absurde autorise. Mener de front ces deux tâches, nier d'un côté et exalter de l'autre, c'est la voie qui s'ouvre au créateur absurde. Il doit donner au vide ses couleurs.

Ceci mène à une conception particulière de l'œuvre d'art. On considère trop souvent l'œuvre d'un créateur comme une suite de témoignages isolés. On confond alors artiste et littérateur. Une pensée profonde est en continuel devenir, épouse l'expérience d'une vie et s'y façonne. De même, la création unique d'un homme se fortifie dans ses visages successifs et multiples que sont les œuvres. Les unes complètent les autres, les corrigent ou les rattrapent, les contredisent aussi. Si quelque chose termine la création, ce n'est pas le cri victorieux et illusoire de l'artiste aveuglé : « J'ai tout dit », mais la mort du créateur qui ferme son expérience et le livre de son génie.

Cet effort, cette conscience surhumaine n'apparaissent pas forcément au lecteur. Il n'y a pas de mystère dans la création humaine. La volonté fait ce miracle. Mais du moins, il n'est pas de vraie création sans secret. Sans doute une suite d'œuvres peut n'être qu'une série d'approximations de la même pensée. Mais on peut concevoir une autre espèce de créateurs qui procéderaient par juxtaposition. Leurs œuvres peuvent sembler sans rapports entre elles. Dans une certaine mesure, elles sont contradictoires. Mais replacées dans leur ensemble, elles recouvrent leur ordonnance. C'est de la mort ainsi qu'elles reçoivent leur sens définitif. Elles acceptent le plus clair de leur lumière de la vie même de leur auteur. A ce moment, la suite de ses œuvres n'est qu'une collection d'échecs. Mais si ces échecs gardent tous la même résonance, le créateur a su répéter l'image de sa propre condition, faire retentir le secret stérile dont il est détenteur.

L'effort de domination est ici considérable. Mais l'intelligence humaine peut suffire à bien plus. Elle démontrera seulement l'aspect volontaire de la création. J'ai fait ressortir ailleurs que la volonté humaine n'avait d'autre fin que de maintenir la conscience. Mais cela ne saurait aller sans discipline. De toutes les écoles de la patience et de la lucidité, la création est la plus efficace. Elle est aussi le bouleversant témoignage de la seule dignité de l'homme : la révolte tenace contre sa condition, la persévérance dans un effort tenu pour stérile. Elle demande un effort quotidien, la maîtrise de soi, l'appréciation exacte des limites du vrai, la mesure et la force. Elle constitue une ascèse. Tout cela « pour rien », pour répéter et piétiner. Mais peut-être la grande œuvre d'art a moins d'importance en elle-même que dans l'épreuve qu'elle exige d'un homme et l'occasion qu'elle lui fournit de surmonter ses fantômes et d'approcher d'un peu plus près sa réalité nue.

Qu'on ne se trompe pas d'esthétique. Ce n'est pas l'information patiente, l'incessante et stérile illustration d'une thèse que j'invoque ici. Au contraire, si je me suis expliqué clairement. Le roman à thèse, l'œuvre qui prouve, la plus haïssable de toutes, est celle qui le plus souvent s'inspire d'une pensée *satisfaite*. La vérité qu'on croit détenir, on la démontre. Mais ce sont là des idées qu'on met en marche, et les idées sont le contraire de la pensée. Ces créateurs sont des philosophes honteux. Ceux dont je parle ou que j'imagine sont au contraire des penseurs lucides. A un certain point où la pensée r vient sur elle-même, ils dressent les images de leurs œuvres comme les symboles évidents d'une pensée limitée, mortelle et révoltée.

Elles prouvent peut-être quelque chose. Mais ces preuves, les romanciers se les donnent plus qu'ils ne les fournissent. L'essentiel est qu'ils triomphent dans le concret et que ce soit leur grandeur. Ce triomphe tout charnel leur a été préparé par une pensée où les pouvoirs abstraits ont été humiliés. Quand ils le sont tout à fait, la chair du même coup fait resplendir la création de tout son éclat absurde. Ce sont les philosophes ironiques qui font les œuvres passionnées.

Toute pensée qui renonce à l'unité exalte la diversité. Et la diversité est le lieu de l'art. La seule pensée qui libère l'esprit est celle qui le laisse seul, certain de ses limites et de sa fin prochaine. Aucune doctrine ne le sollicite. Il attend le mûrissement de l'œuvre et de la vie. Détachée de lui, la première fera entendre une fois de plus la voix à peine assourdie d'une âme pour toujours délivrée de l'espoir. Ou elle ne fera rien entendre, si le créateur, lassé de son jeu, prétend se détourner. Cela est équivalent.

Ainsi je demande à la création absurde ce que j'exigeais de la pensée, la révolte, la liberté et la diversité. Elle manifestera ensuite sa profonde inutilité. Dans cet effort quotidien où l'intelligence et la passion se mêlent et se transportent, l'homme absurde découvre une discipline qui fera l'essentiel de ses forces. L'application qu'il y faut, l'entêtement et la clairvoyance rejoignent ainsi l'attitude conquérante. Créer, c'est ainsi donner une forme à son destin. Pour tous ces personnages, leur œuvre les définit au moins autant qu'elle en est définie. Le comédien nous l'a appris : il n'y a pas de frontière entre le paraître et l'être.

Répétons-le. Rien de tout cela n'a de sens réel. Sur le chemin de cette liberté, il est encore un progrès à faire. Le dernier effort pour ces esprits parents, créateur ou conqué-rant, est de savoir se libérer aussi de leurs entreprises : arriver à admettre que l'œuvre même, qu'elle soit conquête, amour ou créa-tion, peut ne pas être; consommer ainsi l'inu-tilité profonde de toute vie individuelle. Cela même leur donne plus d'aisance dans la réali-sation de cette œuvre, comme d'apercevoir l'absurdité de la vie les autorisait à s'y plonger avec tous les excès.

Ce qui reste, c'est un destin dont seule l'issue est fatale. En dehors de cette unique fatalité de la mort, tout, joie ou bonheur, est liberté. Un monde demeure dont l'homme est le seul maître. Ce qui le liait, c'était l'illusion d'un autre monde. Le sort de sa pensée n'est plus de se renoncer mais de rebondir en images. Elle se joue – dans des mythes sans doute – mais des mythes sans autre profondeur que celle de la douleur humaine et comme elle inépuisables. Non pas la fable divine qui amuse et aveugle, mais le visage, le geste et le drame terrestres où se résument une difficile sagesse et une passion sans lendemain.

Le mythe de Sisyphe

Les dieux avaient condamné Sisyphe à rouler sans cesse un rocher jusqu'au sommet d'une montagne d'où la pierre retombait par son propre poids. Ils avaient pensé avec quelque raison qu'il n'est pas de punition plus terrible que le travail inutile et sans espoir.

Si l'on en croit Homère, Sisyphe était le plus sage et le plus prudent des mortels. Selon une autre tradition cependant, il inclinait au métier de brigand. Je n'y vois pas de contradiction. Les opinions diffèrent sur les motifs qui lui valurent d'être le travailleur inutile des enfers. On lui reproche d'abord quelque légèreté avec les dieux. Il livra leurs secrets. Egine, fille d'Asope, fut enlevée par Jupiter. Le père s'étonna de cette disparition et s'en plaignit à Sisyphe. Lui, qui avait connaissance de l'enlèvement, offrit à Asope de l'en instruire, à la condition qu'il donnerait de l'eau à la citadelle de Corinthe. Aux foudres célestes, il préféra la bénédiction de l'eau. Il en fut puni dans les enfers. Homère nous raconte aussi que Sisyphe avait enchaîné la Mort. Pluton ne put supporter le spectacle de son empire désert et silencieux. Il dépêcha le dieu de la guerre qui délivra la Mort des mains de son vainqueur.

On dit encore que Sisyphe étant près de mourir voulut imprudemment éprouver l'amour de sa femme. Il lui ordonna de jeter son corps sans sépulture au milieu de la place publique. Sisyphe se retrouva dans les enfers. Et là, irrité d'une obéissance si contraire à l'amour humain, il obtint de Pluton la permission de retourner sur la terre pour châtier sa femme. Mais quand il eut de nouveau revu le visage de ce monde, goûté l'eau et le soleil, les pierres chaudes et la mer, il ne voulut plus retourner dans l'ombre infernale. Les rappels, les colères et les avertissements n'y firent rien. Bien des années encore, il vécut devant la courbe du golfe, la mer éclatante et les sourires de la terre. Il fallut un arrêt des dieux. Mercure vint saisir l'audacieux au collet et, l'ôtant à ses joies, le ramena de force aux enfers où son rocher était tout prêt.

On a compris déjà que Sisyphe est le héros absurde. Il l'est autant par ses passions que par son tourment. Son mépris des dieux, sa haine de la mort et sa passion pour la vie, lui ont valu ce supplice indicible où tout l'être s'emploie à ne rien achever. C'est le prix qu'il faut payer pour les passions de cette terre. On ne nous dit rien sur Sisyphe aux enfers. Les mythes sont faits pour que l'imagination les anime. Pour celui-ci on voit seulement tout l'effort d'un corps tendu pour soulever l'énorme pierre, la rouler et l'aider à gravir une pente cent fois recommencée; on voit le visage crispé, la joue collée contre la pierre, le secours d'une épaule qui reçoit la masse couverte de glaise, d'un pied qui la cale, la reprise à bout de bras, la sûreté tout humaine de deux mains pleines de terre. Tout au bout de ce long effort mesuré par l'espace sans ciel et le temps sans profondeur, le but est atteint. Sisyphe regarde alors la pierre dévaler en quelques instants vers ce monde inférieur d'où il faudra la remonter vers les sommets. Il redescend dans la plaine.

C'est pendant ce retour, cette pause, que Sisyphe m'intéresse. Un visage qui peine si près des pierres est déjà pierre lui-même! Je vois cet homme redescendre d'un pas lourd mais égal vers le tourment dont il ne connaîtra pas la fin. Cette heure qui est comme une respiration et qui revient aussi sûrement que son malheur, cette heure est celle de la conscience. A chacun de ces instants, où il quitte les sommets et s'enfonce peu à peu vers les tanières des dieux, il est supérieur à son destin. Il est plus fort que son rocher.

Si ce mythe est tragique, c'est que son héros est conscient. Où serait en effet sa peine, si à chaque pas l'espoir de réussir le soutenait? L'ouvrier d'aujourd'hui travaille, tous les jours de sa vie, aux mêmes tâches et ce destin n'est pas moins absurde. Mais il n'est tragique qu'aux rares moments où il devient conscient.

Sisyphe, prolétaire des dieux, impuissant et révolté, connaît toute l'étendue de sa misérable condition : c'est à elle qu'il pense pendant sa descente. La clairvoyance qui devait faire son tourment consomme du même coup sa victoire. Il n'est pas de destin qui ne se surmonte par le mépris.

Si la descente ainsi se fait certains jours dans la douleur, elle peut se faire aussi dans la joie. Ce mot n'est pas de trop. J'imagine encore Sisyphe revenant vers son rocher, et la douleur était au début. Quand les images de la terre tiennent trop fort au souvenir, quand l'appel du bonheur se fait trop pesant, il arrive que la tristesse se lève au cœur de l'homme : c'est la victoire du rocher, c'est le rocher lui-même. L'immense détresse est trop lourde à porter. Ce sont nos nuits de Gethsémani. Mais les vérités écrasantes périssent d'être reconnues. Ainsi, Œdipe obéit d'abord au destin sans le savoir. A partir du moment où il sait, sa tragédie commence. Mais dans le même instant, aveugle et désespéré, il reconnaît que le seul lien qui le rattache au monde, c'est la main fraîche d'une jeune fille. Une parole démesurée retentit alors : « Malgré tant d'épreuves, mon âge avancé et la grandeur de mon âme me font juger que tout est bien. » L'Œdipe de Sophocle, comme le Kirilov de Dostoïevski, donne ainsi la formule de la vic-

toire absurde. La sagesse antique rejoint l'hé-
roïsme moderne.

On ne découvre pas l'absurde sans être
tenté d'écrire quelque manuel du bonheur.
« Eh! quoi, par des voies si étroites...? » Mais il
n'y a qu'un monde. Le bonheur et l'absurde
sont deux fils de la même terre. Ils sont
inséparables. L'erreur serait de dire que le
bonheur naît forcément de la découverte
absurde. Il arrive aussi bien que le sentiment
de l'absurde naisse du bonheur. « Je juge que
tout est bien », dit Œdipe et cette parole est
sacrée. Elle retentit dans l'univers farouche et
limité de l'homme. Elle enseigne que tout
n'est pas, n'a pas été épuisé. Elle chasse de ce
monde un dieu qui y était entré avec l'insatisfaction et le goût des douleurs inutiles. Elle
fait du destin une affaire d'homme, qui doit
être réglée entre les hommes.

Toute la joie silencieuse de Sisyphe est là.
Son destin lui appartient. Son rocher est sa
chose. De même, l'homme absurde, quand il
contemple son tourment, fait taire toutes les
idoles. Dans l'univers soudain rendu à son
silence, les mille petites voix émerveillées de
la terre s'élèvent. Appels inconscients et
secrets, invitations de tous les visages, ils sont
l'envers nécessaire et le prix de la victoire. Il
n'y a pas de soleil sans ombre, et il faut
connaître la nuit. L'homme absurde dit oui et
son effort n'aura plus de cesse. S'il y a un
destin personnel, il n'y a point de destinée
supérieure ou du moins il n'en est qu'une dont

il juge qu'elle est fatale et méprisable. Pour le reste, il se sait le maître de ses jours. A cet instant subtil où l'homme se retourne sur sa vie, Sisyphe, revenant vers son rocher, contemple cette suite d'actions sans lien qui devient son destin, créé par lui, uni sous le regard de sa mémoire et bientôt scellé par sa mort. Ainsi, persuadé de l'origine tout humaine de tout ce qui est humain, aveugle qui désire voir et qui sait que la nuit n'a pas de fin, il est toujours en marche. Le rocher roule encore.

Je laisse Sisyphe au bas de la montagne! On retrouve toujours son fardeau. Mais Sisyphe enseigne la fidélité supérieure qui nie les dieux et soulève les rochers. Lui aussi juge que tout est bien. Cet univers désormais sans maître ne lui paraît ni stérile ni futile. Chacun des grains de cette pierre, chaque éclat minéral de cette montagne pleine de nuit, à lui seul forme un monde. La lutte elle-même vers les sommets suffit à remplir un cœur d'homme. Il faut imaginer Sisyphe heureux.

L'espoir et l'absurde
dans l'œuvre de Franz Kafka

L'étude sur Franz Kafka que nous publions en appendice a été remplacée dans la première édition du *Mythe de Sisyphe* par le chapitre sur *Dostoïevski et le Suicide*. Elle a été publiée cependant par la revue *L'Arbalète* en 1943.

On y retrouvera, sous une autre perspective, la critique de la création absurde que les pages sur Dostoïevski avaient déjà engagée. (*Note de l'éditeur.*)

Tout l'art de Kafka est d'obliger le lecteur à relire. Ses dénouements, ou ses absences de dénouement, suggèrent des explications, mais qui ne sont pas révélées en clair et qui exigent, pour apparaître fondées, que l'histoire soit relue sous un nouvel angle. Quelquefois, il y a une double possibilité d'interprétation, d'où apparaît la nécessité de deux lectures. C'est ce que cherchait l'auteur. Mais on aurait tort de vouloir tout interpréter dans le détail chez Kafka. Un symbole est toujours dans le général et, si précise que soit sa traduction, un artiste ne peut y restituer que le mouvement : il n'y a pas de mot à mot. Au reste, rien n'est plus difficile à entendre qu'une œuvre symbolique. Un symbole dépasse toujours celui qui en use et lui fait dire en réalité plus qu'il n'a conscience d'exprimer. A cet égard, le plus sûr moyen de s'en saisir, c'est de ne pas le provoquer, d'entamer l'œuvre avec un esprit non concerté et de ne pas chercher ses courants secrets. Pour Kafka, en particulier, il est hon-

nête de consentir à son jeu, d'aborder le
drame par l'apparence et le roman par la
forme.

A première vue, et pour un lecteur détaché,
ce sont des aventures inquiétantes qui enlè-
vent des personnages tremblants et entêtés à
la poursuite de problèmes qu'ils ne formulent
jamais. Dans *Le Procès*, Joseph K... est accusé.
Mais il ne sait pas de quoi. Il tient sans doute à
se défendre, mais il ignore pourquoi. Les avo-
cats trouvent sa cause difficile. Entre-temps, il
ne néglige pas d'aimer, de se nourrir ou de lire
son journal. Puis il est jugé. Mais la salle du
tribunal est très sombre. Il ne comprend pas
grand-chose. Il suppose seulement qu'il est
condamné, mais à quoi, il se le demande à
peine. Il en doute quelquefois aussi bien et il
continue à vivre. Longtemps après, deux mes-
sieurs bien habillés et polis viennent le trouver et l'invitent à les suivre. Avec la plus
grande courtoisie, ils le mènent dans une
banlieue désespérée, lui mettent la tête sur
une pierre et l'égorgent. Avant de mourir, le
condamné dit seulement : « comme un
chien ».

On voit qu'il est difficile de parler de symbole, dans un récit où la qualité la plus sensible se trouve être justement le naturel. Mais le
naturel est une catégorie difficile à comprendre. Il y a des œuvres où l'événement semble
naturel au lecteur. Mais il en est d'autres (plus
rares, il est vrai) où c'est le personnage qui
trouve naturel ce qui lui arrive. Par un para-

doxe singulier mais évident, plus les aventures du personnage seront extraordinaires, et plus le naturel du récit se fera sensible : il est proportionnel à l'écart qu'on peut sentir entre l'étrangeté d'une vie d'homme et la simplicité avec quoi cet homme l'accepte. Il semble que ce naturel soit celui de Kafka. Et justement, on sent bien ce que *Le Procès* veut dire. On a parlé d'une image de la condition humaine. Sans doute. Mais c'est à la fois plus simple et plus compliqué. Je veux dire que le sens du roman est plus particulier et plus personnel à Kafka. Dans une certaine mesure, c'est lui qui parle, si c'est nous qu'il confesse. Il vit et il est condamné. Il l'apprend aux premières pages du roman qu'il poursuit en ce monde et s'il essaie d'y remédier, c'est toutefois sans surprise. Il ne s'étonnera jamais assez de ce manque d'étonnement. C'est à ces contradictions qu'on reconnaît les premiers signes de l'œuvre absurde. L'esprit projette dans le concret sa tragédie spirituelle. Et il ne peut le faire qu'au moyen d'un paradoxe perpétuel qui donne aux couleurs le pouvoir d'exprimer le vide et aux gestes quotidiens la force de traduire les ambitions éternelles.

De même, *Le Château* est peut-être une théologie en acte, mais c'est avant tout l'aventure individuelle d'une âme en quête de sa grâce, d'un homme qui demande aux objets de ce monde leur royal secret et aux femmes les signes du dieu qui dort en elles. *La Métamorphose*, à son tour, figure certainement l'horrible imagerie d'une éthique de la lucidité. Mais c'est aussi le produit de cet incalculable étonnement qu'éprouve l'homme à sentir la bête qu'il devint sans effort. C'est dans cette ambiguïté fondamentale que réside le secret de Kafka. Ces perpétuels balancements entre le naturel et l'extraordinaire, l'individu et l'universel, le tragique et le quotidien, l'absurde et le logique se retrouvent à travers toute son œuvre et lui donnent à la fois sa résonance et sa signification. Ce sont ces paradoxes qu'il faut énumérer, ces contradictions qu'il faut renforcer, pour comprendre l'œuvre absurde.

Un symbole, en effet, suppose deux plans, deux mondes d'idées et de sensations, et un dictionnaire de correspondance entre l'un et l'autre. C'est ce lexique qui est le plus difficile à établir. Mais prendre conscience des deux mondes mis en présence, c'est se mettre sur le chemin de leurs relations secrètes. Chez Kafka ces deux mondes sont ceux de la vie quotidienne d'une part et de l'inquiétude surnaturelle de l'autre[1]. Il semble qu'on assiste ici à une interminable exploitation du mot de

---

1. A noter qu'on peut de façon aussi légitime interpréter les œuvres de Kafka dans le sens d'une critique sociale (par exemple dans *Le Procès*). Il est probable d'ailleurs qu'il n'y a pas à choisir. Les deux interprétations sont bonnes. En termes absurdes, nous l'avons vu, la révolte contre les hommes s'adresse *aussi* à Dieu : les grandes révolutions sont toujours métaphysiques.

Nietzsche : « Les grands problèmes sont dans la rue. »

Il y a dans la condition humaine, c'est le lieu commun de toutes les littératures, une absurdité fondamentale en même temps qu'une implacable grandeur. Les deux coïncident, comme il est naturel. Toutes deux se figurent, répétons-le, dans le divorce ridicule qui sépare nos intempérances d'âme et les joies périssables du corps. L'absurde, c'est que ce soit l'âme de ce corps qui le dépasse si démesurément. Pour qui voudra figurer cette absurdité, c'est dans un jeu de contrastes parallèles qu'il faudra lui donner vie. C'est ainsi que Kafka exprime la tragédie par le quotidien et l'absurde par le logique.

Un acteur prête d'autant plus de force à un personnage tragique qu'il se garde de l'exagérer. S'il est mesuré, l'horreur qu'il suscite sera démesurée. La tragédie grecque à cet égard est riche d'enseignements. Dans une œuvre tragique, le destin se fait toujours mieux sentir sous les visages de la logique et du naturel. Le destin d'Œdipe est annoncé d'avance. Il est décidé surnaturellement qu'il commettra le meurtre et l'inceste. Tout l'effort du drame est de montrer le système logique qui, de déduction en déduction, va consommer le malheur du héros. Nous annoncer seulement ce destin inusité n'est guère horrible, parce que c'est invraisemblable. Mais si la nécessité nous en est démontrée dans le cadre de la vie quotidienne, société, état, émotion familière, alors l'horreur se consacre. Dans cette révolte qui secoue l'homme et lui fait dire : « Cela n'est pas possible », il y a déjà la certitude désespérée que « cela » se peut.

C'est tout le secret de la tragédie grecque ou du moins l'un de ses aspects. Car il en est un autre qui, par une méthode inverse, nous permettrait de mieux comprendre Kafka. Le cœur humain a une fâcheuse tendance à appeler destin seulement ce qui l'écrase. Mais le bonheur aussi, à sa manière, est sans raison, puisqu'il est inévitable. L'homme moderne pourtant s'en attribue le mérite, quand il ne le méconnaît pas. Il y aurait beaucoup à dire, au contraire, sur les destins privilégiés de la tragédie grecque et les favoris de la légende qui, comme Ulysse, au sein des pires aventures, se trouvent sauvés d'eux-mêmes.

Ce qu'il faut retenir en tout cas, c'est cette complicité secrète qui, au tragique, unit le logique et le quotidien. Voilà pourquoi Samsa, le héros de *La Métamorphose,* est un voyageur de commerce. Voilà pourquoi la seule chose qui l'ennuie dans la singulière aventure qui fait de lui une vermine, c'est que son patron sera mécontent de son absence. Des pattes et des antennes lui poussent, son échine s'arque, des points blancs parsèment son ventre et – je ne dirai pas que cela ne l'étonne pas, l'effet serait manqué – mais cela lui cause un « léger ennui ». Tout l'art de Kafka est dans cette nuance. Dans son œuvre centrale, *Le Château,* ce sont les détails de la vie quotidienne qui reprennent le dessus et pourtant dans cet étrange roman où rien n'aboutit et tout se recommence, c'est l'aventure essentielle d'une âme en quête de sa grâce qui est figurée. Cette traduction du problème dans l'acte, cette coïncidence du général et du particulier, on les reconnaît aussi dans les petits artifices propres à tout grand créateur. Dans *Le Procès* le héros aurait pu s'appeler Schmidt ou Franz Kafka. Mais il s'appelle Joseph K... Ce n'est pas Kafka et c'est pourtant lui. C'est un Européen moyen. Il est comme tout le monde. Mais c'est aussi l'entité K. qui pose l'x de cette équation de chair.

De même si Kafka veut exprimer l'absurde, c'est de la cohérence qu'il se servira. On connaît l'histoire du fou qui pêchait dans une baignoire; un médecin qui avait ses idées sur les traitements psychiatriques lui demandait : « Si ça mordait » et se vit répondre avec rigueur : « Mais non, imbécile, puisque c'est une baignoire. » Cette histoire est du genre baroque. Mais on y saisit de façon sensible combien l'effet absurde est lié à un excès de logique. Le monde de Kafka est à la vérité un univers indicible où l'homme se donne le luxe torturant de pêcher dans une baignoire, sachant qu'il n'en sortira rien.

Je reconnais donc ici une œuvre absurde dans ses principes. Pour *Le Procès*, par exemple, je puis bien dire que la réussite est totale. La chair triomphe. Rien n'y manque, ni la révolte inexprimée (mais c'est elle qui écrit), ni le désespoir lucide et muet (mais c'est lui qui crée), ni cette étonnante liberté d'allure que les personnages du roman respirent jusqu'à la mort finale.

Pourtant ce monde n'est pas aussi clos qu'il le paraît. Dans cet univers sans progrès, Kafka va introduire l'espoir sous une forme singulière. A cet égard, *Le Procès* et *Le Château* ne vont pas dans le même sens. Ils se complètent. L'insensible progression qu'on peut déceler de l'un à l'autre figure une conquête démesurée dans l'ordre de l'évasion. *Le Procès* pose un problème que *Le Château*, dans une certaine mesure, résout. Le premier décrit, selon une méthode quasi scientifique, et sans conclure. Le second, dans une certaine mesure, explique. *Le Procès* diagnostique et *Le Château* imagine un traitement. Mais le remède proposé ici ne guérit pas. Il fait seulement rentrer la maladie dans la vie normale. Il aide à l'accepter. Dans un certain sens (pensons à Kierkegaard), il la fait chérir. L'arpenteur K... ne peut imaginer un autre souci que celui qui le ronge. Ceux mêmes qui l'entourent s'éprennent de ce vide et de cette douleur qui n'a pas de nom, comme si la souffrance revêtait ici un visage privilégié. « Que j'ai besoin de toi, dit Frieda à K... Comme je me sens abandonnée, depuis que je te connais, quand tu n'es pas près de moi. » Ce remède subtil qui nous fait aimer ce qui nous écrase et fait naître l'espoir dans un monde sans issue, ce « saut » brusque par quoi tout se trouve changé, c'est le secret de la révolution existentielle et du *Château* lui-même.

Peu d'œuvres sont plus rigoureuses, dans leur démarche, que *Le Château*. K... est nommé arpenteur du château, et il arrive dans le village. Mais du village au château il est impossible de communiquer. Pendant des centaines de pages, K... s'entêtera à trouver son chemin, fera toutes les démarches, rusera, biaisera, ne se fâchera jamais, et avec une foi déconcertante, voudra rentrer dans la fonction qu'on lui a confiée. Chaque chapitre est un échec. Et aussi un recommencement. Ce n'est pas de la logique, mais de l'esprit de suite. L'ampleur de cet entêtement fait le tragique de l'œuvre. Lorsque K... téléphone au Château, ce sont des voix confuses et mêlées, des rires vagues, des appels lointains qu'il perçoit. Cela suffit à nourrir son espoir, comme ces quelques signes qui paraissent dans les ciels d'été, ou ces promesses du soir qui font notre raison de vivre. On trouve ici le secret de la mélancolie particulière à Kafka. La même, à la vérité, qu'on respire dans l'œuvre de Proust ou dans le paysage plotinien : la nostalgie des paradis perdus. « Je deviens toute mélancolique, dit Olga, quand Barnabé me dit le matin qu'il va au Château : ce trajet probablement inutile, ce jour probablement perdu, cet espoir probablement vain. » « Probablement », sur cette nuance encore,

Kafka joue son œuvre tout entière. Mais rien n'y fait, la recherche de l'éternel est ici méticuleuse. Et ces automates inspirés que sont les personnages de Kafka nous donnent l'image même de ce que nous serions, privés de nos divertissements[1] et livrés tout entiers aux humiliations du divin.

Dans *Le Château,* cette soumission au quotidien devient une éthique. Le grand espoir de K... c'est d'obtenir que le Château l'adopte. N'y pouvant parvenir seul, tout son effort est de mériter cette grâce en devenant un habitant du village, en perdant cette qualité d'étranger que tout le monde lui fait sentir. Ce qu'il veut, c'est un métier, un foyer, une vie d'homme normal et sain. Il n'en peut plus de sa folie. Il veut être raisonnable. La malédiction particulière qui le rend étranger au village, il veut s'en débarrasser. L'épisode de Frieda à cet égard est significatif. Cette femme qui a connu l'un des fonctionnaires du Château, s'il en fait sa maîtresse, c'est à cause de son passé. Il puise en elle quelque chose qui le dépasse – en même temps qu'il a conscience de ce qui la rend à tout jamais indigne du Château. On songe ici à l'amour singulier de Kierkegaard pour Régine Olsen. Chez certains hommes, le feu d'éternité qui les dévore est assez grand

---

1. Dans *Le Château,* il semble bien que les « divertissements », au sens pascalien, soient figurés par les Aides, qui « détournent » K... de son souci. Si Frieda finit par devenir la maîtresse d'un des aides, c'est qu'elle préfère le décor à la vérité, la vie de tous les jours à l'angoisse partagée.

pour qu'ils y brûlent le cœur même de ceux
qui les entourent. La funeste erreur qui consiste à donner à Dieu ce qui n'est pas à Dieu,
c'est aussi bien le sujet de cet épisode du
Château. Mais pour Kafka, il semble bien que
ce ne soit pas une erreur. C'est une doctrine et
un « saut ». Il n'est rien qui ne soit à Dieu.

Plus significatif encore est le fait que l'arpenteur se détache de Frieda pour aller vers
les sœurs Barnabé. Car la famille Barnabé est
la seule du village qui soit complètement
abandonnée du Château et du village lui-
même. Amalia, la sœur aînée, a refusé les
propositions honteuses que lui faisait l'un des
fonctionnaires du Château. La malédiction
immorale qui a suivi l'a pour toujours rejetée
de l'amour de Dieu. Etre incapable de perdre
son honneur pour Dieu, c'est se rendre indigne de sa grâce. On reconnaît un thème familier à la philosophie existentielle : la vérité
contraire à la morale. Ici les choses vont loin.
Car le chemin que le héros de Kafka accomplit, celui qui va de Frieda aux sœurs Barnabé,
est celui-là même qui va de l'amour confiant à
la déification de l'absurde. Ici encore, la pensée de Kafka rejoint Kierkegaard. Il n'est pas
surprenant que le « récit Barnabé » se situe à
la fin du livre. L'ultime tentative de l'arpenteur, c'est de retrouver Dieu à travers ce qui le
nie, de le reconnaître, non selon nos catégories de bonté et de beauté, mais derrière les
visages vides et hideux de son indifférence, de
son injustice et de sa haine. Cet étranger qui

demande au Château de l'adopter, il est à la
fin de son voyage un peu plus exilé puisque,
cette fois, c'est à lui-même qu'il est infidèle et
qu'il abandonne morale, logique et vérités de
l'esprit pour essayer d'entrer, riche seulement
de son espoir insensé, dans le désert de la
grâce divine[1].

Le mot d'espoir ici n'est pas ridicule. Plus
tragique au contraire est la condition rappor-
tée par Kafka, plus rigide et provocant devient
cet espoir. Plus *Le Procès* est véritablement
absurde, plus le « saut » exalté du *Château*
apparaît comme émouvant et illégitime. Mais
nous retrouvons ici à l'état pur le paradoxe de la
pensée existentielle tel que l'exprime par exemple Kierkegaard : « On doit frapper à mort
l'espérance terrestre, c'est alors seulement
qu'on se sauve par l'espérance véritable[2] »
et qu'on peut traduire : « Il faut avoir écrit
Le Procès pour entreprendre *Le Château.*»
La plupart de ceux qui ont parlé de Kafka
ont défini en effet son œuvre comme un cri
désespérant où aucun recours n'est laissé à
l'homme. Mais cela demande révision. Il y a
espoir et espoir. L'œuvre optimiste de
M. Henry Bordeaux me paraît singulièrement

1. Ceci ne vaut évidemment que pour la version inache-
vée du *Château* que nous a laissée Kafka. Mais il est
douteux que l'écrivain eût rompu dans les derniers cha-
pitres l'unité de ton du roman.
2. La Pureté du cœur.

décourageante. C'est que rien n'y est permis aux cœurs un peu difficiles. La pensée de Malraux au contraire reste toujours tonifiante. Mais dans les deux cas, il ne s'agit pas du même espoir ni du même désespoir. Je vois seulement que l'œuvre absurde elle-même peut conduire à l'infidélité que je veux éviter. L'œuvre qui n'était qu'une répétition sans portée d'une condition stérile, une exaltation clairvoyante du périssable, devient ici un berceau d'illusions. Elle explique, elle donne une forme à l'espoir. Le créateur ne peut plus s'en séparer. Elle n'est pas le jeu tragique qu'elle devait être. Elle donne un sens à la vie de l'auteur.

Il est singulier, en tout cas, que des œuvres d'inspiration parente comme celles de Kafka, Kierkegaard ou Chestov, celles, pour parler bref, des romanciers et philosophes existentiels, tout entières tournées vers l'absurde et ses conséquences, aboutissent en fin de compte à cet immense cri d'espoir.

Ils embrassent le Dieu qui les dévore. C'est par l'humilité que l'espoir s'introduit. Car l'absurde de cette existence les assure un peu plus de la réalité surnaturelle. Si le chemin de cette vie aboutit à Dieu, il y a donc une issue. Et la persévérance, l'entêtement avec lesquels Kierkegaard, Chestov, et les héros de Kafka répètent leurs itinéraires sont un garant singulier du pouvoir exaltant de cette certitude[1].

---

1. Le seul personnage sans espoir du *Château* est Amalia. C'est à elle que l'arpenteur s'oppose avec le plus de violence.

Kafka refuse à son dieu la grandeur morale, l'évidence, la bonté, la cohérence, mais c'est pour mieux se jeter dans ses bras. L'absurde est reconnu, accepté, l'homme s'y résigne et dès cet instant, nous savons qu'il n'est plus l'absurde. Dans les limites de la condition humaine, quel plus grand espoir que celui qui permet d'échapper à cette condition? Je le vois une fois de plus, la pensée existentielle, contre l'opinion courante, est pétrie d'une espérance démesurée, celle-là même qui, avec le christianisme primitif et l'annonce de la bonne nouvelle, a soulevé le monde ancien. Mais dans ce saut qui caractérise toute pensée existentielle, dans cet entêtement, dans cet arpentage d'une divinité sans surface, comment ne pas voir la marque d'une lucidité qui se renonce? On veut seulement que ce soit un orgueil qui abdique pour se sauver. Ce renoncement serait fécond. Mais ceci ne change pas cela. On ne diminue pas à mes yeux la valeur morale de la lucidité en la disant stérile comme tout orgueil. Car une vérité aussi, par sa définition même, est stérile. Toutes les évidences le sont. Dans un monde où tout est donné et rien n'est expliqué, la fécondité d'une valeur ou d'une métaphysique est une notion vide de sens.

On voit ici en tout cas dans quelle tradition de pensée s'inscrit l'œuvre de Kafka. Il serait inintelligent en effet de considérer comme rigoureuse la démarche qui mène du *Procès* au *Château*. Joseph K... et l'arpenteur K... sont

seulement les deux pôles qui attirent Kafka[1].
Je parlerai comme lui et je dirai que son
œuvre n'est probablement pas absurde. Mais
que cela ne nous prive pas de voir sa grandeur
et son universalité. Elles viennent de ce qu'il a
su figurer avec tant d'ampleur ce passage
quotidien de l'espoir à la détresse et de la
sagesse désespérée à l'aveuglement volontaire.
Son œuvre est universelle (une œuvre vraiment absurde n'est pas universelle), dans la
mesure où s'y figure le visage émouvant de
l'homme fuyant l'humanité, puisant dans ses
contradictions des raisons de croire, des raisons d'espérer dans ses désespoirs féconds et
appelant vie son terrifiant apprentissage de la
mort. Elle est universelle parce que d'inspiration religieuse. Comme dans toutes les religions, l'homme y est délivré du poids de sa
propre vie. Mais si je sais cela, si je peux aussi
l'admirer, je sais aussi que je ne cherche pas
ce qui est universel, mais ce qui est vrai. Les
deux peuvent ne pas coïncider.

On entendra mieux cette façon de voir si je
dis que la pensée vraiment désespérante se
définit précisément par les critères opposés et
que l'œuvre tragique pourrait être celle, tout
espoir futur étant exilé, qui décrit la vie d'un
homme heureux. Plus la vie est exaltante et

---

1. Sur les deux aspects de la pensée de Kafka, comparer *Au bagne* : « La culpabilité (entendez de l'homme)
n'est jamais douteuse » et un fragment du *Château* (rapport de Momus) : « La culpabilité de l'arpenteur K. est
difficile à établir. »

plus absurde est l'idée de la perdre. C'est peut-être ici le secret de cette aridité superbe qu'on respire dans l'œuvre de Nietzsche. Dans cet ordre d'idées, Nietzsche paraît être le seul artiste à avoir tiré les conséquences extrêmes d'une esthétique de l'Absurde, puisque son ultime message réside dans une lucidité stérile et conquérante et une négation obstinée de toute consolation surnaturelle.

Ce qui précède aura suffi cependant à déceler l'importance capitale de l'œuvre de Kafka dans le cadre de cet essai. C'est aux confins de la pensée humaine que nous sommes ici transportés. En donnant au mot son sens plein, on peut dire que tout dans cette œuvre est essentiel. Elle pose en tout cas le problème absurde dans son entier. Si l'on veut alors rapprocher ces conclusions de nos remarques initiales, le fond de la forme, le sens secret du *Château* de l'art naturel dans lequel il s'écoule, la quête passionnée et orgueilleuse de K... du décor quotidien où elle chemine, on comprendra ce que peut être sa grandeur. Car si la nostalgie est la marque de l'humain, personne peut-être n'a donné tant de chair et de relief à ces fantômes du regret. Mais on saisira en même temps quelle est la singulière grandeur que l'œuvre absurde exige et qui peut-être ne se trouve pas ici. Si le propre de l'art est d'attacher le général au particulier, l'éternité périssable d'une goutte d'eau aux jeux de ses lumières, il est plus vrai encore d'estimer la grandeur de l'écrivain absurde à l'écart qu'il sait introduire entre ces deux mondes. Son secret est de savoir trouver le point exact où elles se rejoignent, dans leur plus grande disproportion.

Et pour dire vrai, ce lieu géométrique de l'homme et de l'inhumain, les cœurs purs savent le voir partout. Si Faust et Don Quichotte sont des créations éminentes de l'art, c'est à cause des grandeurs sans mesure qu'ils nous montrent de leurs mains terrestres. Un moment cependant vient toujours où l'esprit nie les vérités que ces mains peuvent toucher. Un moment vient où la création n'est plus prise au tragique : elle est prise seulement au sérieux. L'homme alors s'occupe d'espoir. Mais ce n'est pas son affaire. Son affaire est de se détourner du subterfuge. Or, c'est lui que je retrouve au terme du véhément procès que Kafka intente à l'univers tout entier. Son verdict incroyable acquitte, pour finir, ce monde hideux et bouleversant où les taupes elles-mêmes se mêlent d'espérer[1].

---

1. Ce qui est proposé ci-dessus, c'est évidemment une interprétation de l'œuvre de Kafka. Mais il est juste d'ajouter que rien n'empêche de le considérer, en dehors de toute interprétation, sous l'angle purement esthétique. Par exemple, B. Grœthuysen dans sa remarquable préface au *Procès* se borne, avec plus de sagesse que nous, à y suivre seulement les imaginations douloureuses de ce qu'il appelle, de façon frappante, un dormeur éveillé. C'est le destin, et peut-être la grandeur, de cette œuvre que de tout offrir et de ne rien confirmer.

Appendice

DU MÊME AUTEUR

LES POSSÉDÉS, adapté de Dostoïevski, *théâtre*.

CARNETS :

   I. Mai 1935-février 1942.

   II. Janvier 1942-mars 1951.

THÉÂTRE, RÉCITS ET NOUVELLES.

ESSAIS.

LA MORT HEUREUSE, *roman*.

FRAGMENTS D'UN COMBAT, *articles*.

JOURNAUX DE VOYAGE.

CORRESPONDANCE AVEC JEAN GRENIER.

CALIGULA (version de 1941).

Impression Brodard et Taupin à La Flèche (Sarthe),
le 29 septembre 1986.
Dépôt légal : septembre 1986.
1ᵉʳ dépôt légal dans la collection : janvier 1985.
Numéro d'imprimeur : 6768-5.
ISBN 2-07-032288-2 / Imprimé en France